2025
年度版

おか　ね　しき
岡根式

社労士試験

はじめて講義

TAC社会保険労務士講座
専任講師
岡根一雄

JN018019

TAC出版
TAC PUBLISHING Group

法改正については、令和6年7月26日現在確定している
法令で、令和7年4月1日に施行されているものを基準
に記述しています。

2025年度版 はじめて講義のはしがき

　おかげさまで、2025年度版を出させていただくことができました。社労士試験の受験生を主たる読者として想定しているので、毎年、新しい版で、新しい読者を迎えて、初版からかれこれ10年を超える月日が経ちました。

　10年を超えても、この本に対する私の思い入れは、まったく変わっていません。ひとりひとりの人間を大事にする、大切にするという至極当たり前のことが、必ずしも果たされていないこの社会にあって、それを確実に果たせるようにするための制度を勉強をすることの重要性を、このささやかな本を通して、少しでも多くの人に知っていただきたいと思っています。

　社労士試験の勉強で得た知識や考え方は、合格をゴールとして、その役割を終えるものではありません。それは、合格された後のみなさんにとっても、また、みなさんのご家族やご友人にとっても、さらには社会全体にとっても、大きな支え、助けになることがきっとあると思います。

　講義のあと、質問に来られた受講生さんが帰り際に、「法律の勉強が面白くなってきました」と言ってくださることがあります。この本をきっかけに社労士試験の勉強を始められて、ひとりでも多くの方が、労働者保護法や社会保障法に興味や関心をもっていただけたら、それに勝る喜びはありません。

　今回の改訂に際しても、社会保険労務士の後藤朱さんには、

ごていねいな校正をしていただきました。TAC出版の岡島沙恵さんには、改定作業全般にわたり細やかなお心遣いをいただきました。おふたりをはじめ、サポートしていただいた多くの方々に、心より感謝を申し上げます。

母の部屋にて
　2024年7月

岡根　一雄

初版のはしがき

　この本は、これから社労士試験の勉強を始めてみようと考えている方々はもちろん、合格者を含む受験経験のある方々にも読んでいただきたいという思いから、編まれたものです。

　本書は、社労士の試験科目・範囲となっている法律の全体像とその基本的な考え方について講義する入門講義と、問題演習の具体的な取り組み方について説明する実践編で構成されています。内容としては、初学の方から受験経験のある方まで、それぞれのレベルでそれぞれの読み方ができるものにしたつもりです。特に受験生の方には、一度読み通した後も、カバンの中に入れておいてもらって、折に触れ、読み返していただければと思っています。

　この本を通して私が読者の皆さんにお伝えしたいことは、次の2点です。

　社労士の試験勉強で学ぶ法律は、どれも「人を大事にする、人を大切にする」ことを目指しています。だからこそ、私たちがこの現代社会を生きていくうえで必須のものであり、その理解と知識を身につけることで、自分だけでなく、家族や友人を守ることができるのだということです。

　2つめは、社労士試験に、本当の意味で学ぶ、勉強するという姿勢で臨めば、得られるものは「1つの資格試験の合格」という結果だけにとどまらないということです。人や社会を見つ

める際の新たな視点、自分自身のこれからの人生を見つめる際の新たな視点が得られるということです。

これから勉強を始める方々には、この2点を頭の片隅に置いておいてほしいと思います。きっと、学習内容を自分の身に引きつけて、問題意識を持ちつつ、しっかり考えて理解するという勉強ができるはずです。

合格者を含む受験経験のある方々には、この本を読んでいただくことで、上記2点について再確認し、さらなる人生のステップアップにつなげていただけたらと思います。

この本は、2012年に刊行された受験書籍『無敵の社労士』に掲載された「岡根式これならわかる社労士」を大幅に加筆・修正したものです。前掲書掲載時から本書の刊行に至るまで、TAC出版の後藤朱さんには、貴重なアドバイスと細やかなご配慮をいただきました。後藤さんという優れた編集者に恵まれたことで、本書を世に出すことができました。

本書を執筆・刊行するにあたってお世話になった皆さん、とりわけTAC社労士講座教材開発講師の皆さんに、感謝いたします。

2013年9月

岡根　一雄

CONTENTS

プロローグ

入門講義

問題演習

エピローグ

読者特典！

岡根式 社労士試験 オリエンテーション講義

初学者の方には学習の導入に、既学者の方には復習になる、
本書を使用した、ここでしか聞けないオリジナル講義です。
本書とセットでお使いいただくことで、
社労士で学ぶ法律の全体像とその基本的な考え方が
しっかりわかること間違いナシ！

配信日程	2024年9月下旬頃から
講義時間	1科目あたり15分
講義科目	●労働基準法 ●労働安全衛生法 ●労働者災害補償保険法 ●雇用保険法 ●労働保険徴収法 ●健康保険法 ●国民年金法 ●厚生年金保険法 ●一般常識（労一・社一）

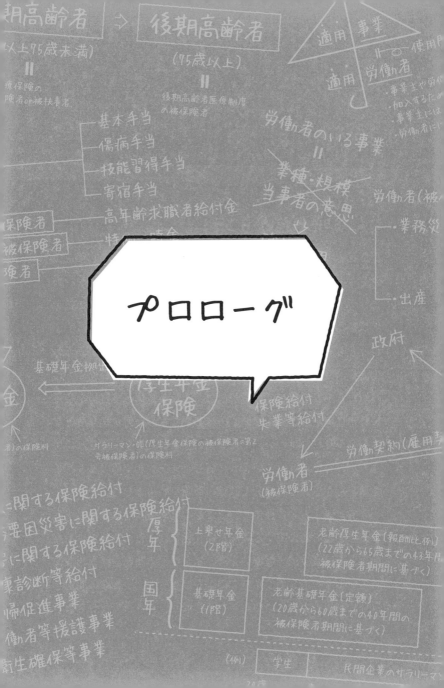

プロローグ

こんな時代だからこそ

　これまで、多くの受講生、合格者のみなさんとお話しする機会をもってきましたが、社労士として独立開業をするとか、勤務社労士になるとか最初から明確な具体的な目標をもって社労士試験の勉強を始められる方は、はっきり言って少ないですね。もちろんそういう方もたしかにいらっしゃいますが、今の生活や、今の会社でのお仕事だけをこのまま続けていくことに漠然たる不安を感じているが故に、それを払拭して自信を持って将来に向かって歩んでいくのに必要なもの、何か拠り所となるものを身につけたい、そんな思いを胸に受講を決意されている方が、特に最近は多いように感じます。約30年前の私も、まさにそんな思いで、社労士試験の勉強を始めました。

　今や、働き方も多様化し、そこから処遇格差をはじめとするさまざまな労働に関する問題が顕在化し、また、急速な少子高齢化、人口減少が、医療や介護、年金などの問題を浮き彫りにしています。そして、私たちの誰もがきっと、これらの問題と自分や家族の生活との関わりを感じ取り、日々、少なからぬ不

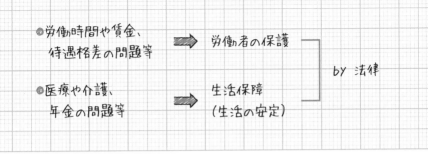

●労働時間や賃金、　　　⇒　労働者の保護
　待遇格差の問題等

　　　　　　　　　　　　　　　　　　　　by 法律

●医療や介護、　　　　　⇒　生活保障
　年金の問題等　　　　　　（生活の安定）

安を抱えながら生活に追われている、というのが現実ではない
でしょうか。

　こんな時代だからこそ、といったら少々強引かもしれません
が、社労士の受験勉強、本格的に始めてみませんか！　社労士
試験の試験科目となっている法律は、労働法制や社会保障制度
の中核を担っているそれであり、どれも自律した一人一人の人
間を大事に、大切にすることを目的としたものです。だからこ
そ、今、一人でも多くの方に興味と関心をもって勉強していた
だきたいのです。それはまた、日々の不安を払拭することにも
つながるはずです。「本格的に」と言ったのは、安易な詰め込
み式ではなく、ちゃんと内容を考えて理解して、いい勉強をし
て、そして「いい合格したなあ」って振り返られるような、そ
んな受験勉強をしてほしいからです。

社労士の試験勉強とは

　ここから、社労士の試験勉強という視点でお話を進めていき
ます。とはいえ、まず強調しておきたいのは、勉強の対象とな
る法律が私たちの日常の生活に密接につながっていることを常

に意識しながら勉強していくということを心がけてほしいということです。それにより法律への興味や関心も湧いてくるし、理解も深まり、知識の定着が図れるからです。わが身に引きつけて勉強を進めていくと、それこそ今まで気づかなかった、知らなかった、働いていくうえで労働者を守るためのさまざまな制度や権利があること、私生活においてもその安定を脅かす病気やケガなどが生じたときやリタイアして老後の生活に入ったときも、公的な医療保険や年金保険という制度で最低限度の生活は保障される権利があることを、実感をもって知ることができます。そして、これらの制度の仕組みや権利の具体的な内容を知ることは、今の時代において現実の日常を生きていくうえで、わが身を守るために必要な知識だと認識されるはずです。また、家族や友人にも適切なアドバイスができれば、その方々の力にもなれるわけです。

　社労士として活躍し、社会に貢献することを目標に勉強するのはもちろんのこと、そこまでは考えていなくても、今、現在の労働法制や社会保障制度を勉強してしっかり理解しておくことは、充分に有意義なことだと私は思います。社労士の試験勉強が、みなさんのこれからの人生や生き方にとって本当に価値のあるものとなるように、勉強したことが一生の財産となるように、まずはそのスタートに際して、私なりの「はじめて講義」を開講したいと思います。

■社労士の試験範囲となっている法律

労働法 ＋ 社会保険法

どんな法律を勉強するのか？

　社労士の試験範囲となっている法律は、大きく2つに分けられます。雇われて働く者を保護するための労働法と、病気やケガ、加齢などで日常生活の安定が損なわれないようにするための社会保険法です。労働法も社会保険法も、それぞれの分野の総称ですから、少し具体的にその中味を例を挙げて見ていきましょう。

労働法が登場する場面

　まずは労働法のなかでも、今まさに会社で働いている方々にとって一番身近で頼りになる法律である労働基準法を例に、実際にあった受講生との会話に基づいてお話しします。

ある受講生との会話

　何年か前に、授業が終わったあと、教室に1人残っていた受講生と交わした会話が、今も強く印象に残っています。

　彼は、「先生、もっと早くこの勉強、しておけばよかったと

思いますね」。なぜだろう……彼の話をまとめると、こういうことです。現在は失業中の身。勤めていた会社の経営が傾き始め、人件費削減でリストラが行われ、その分、残った正社員の業務量が増大して長時間に及ぶ残業が日常茶飯事。ついには彼もリストラの対象となる。当時は労働基準法なんてまったく頭になかったから、賃金が本来の支払日から多少遅れても、また業績不振という会社の言い訳で本来の賃金額が支払われなくても、それも仕方ないと会社には特に文句を言わなかった。法定労働時間とか、割増賃金なんて考えもしなかった。月の真ん中あたりで、いきなり月末に解雇と言い渡され、そのまま受け入れてしまった。

　「今思えば、これ、みんな労働基準法違反ですよね。知っていれば、会社に問い質し、自分の権利を主張できたのに……。会社はもちろん労働基準法とか知っていたはずなのに、労働組合もなく、ぼくたち労働者が知らないのをいいことに、ムチャクチャやってたわけですよ。今さら文句言っても、経営陣はほとんど変わっているみたいだし相手にされそうもないし……。まぁ、これをよい教訓に、しっかり勉強して法律を身につけ、自分や家族、友人を守ってあげられたら。そして社労士として少しでも世の中のお役に立てたらと思って、今、この勉強をリアルに、なんとか頑張ってやっています」

　彼はもちろん一発合格し、伝え聞くところでは、独立開業して、忙しく駆け回っているとのことです。

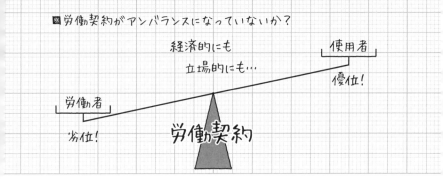

■労働契約がアンバランスになっていないか？

経済的にも
立場的にも…

使用者

優位！

労働者

劣位！

労働契約

　ちなみに、彼が勤めていた会社の労働基準法違反を具体的に
挙げてみると——

・賃金の一定期日払の原則違反！

・賃金の全額払の原則違反！

・法定労働時間（１日８時間、１週間40時間）違反！

・時間外労働の法定割増賃金支払義務違反！

・30日前の解雇予告または30日分の予告手当の支払義務違反！

　これらの規定についての説明は、この後の入門講義で行いま
す。今の段階でおさえておいてほしいのは、労働基準法は、賃
金や労働時間、解雇の手続など労働条件について規定している
ものだということです。そして、この法律が適用される前提の
労働契約においては、その当事者間に使用従属関係という圧倒
的な力のアンバランスがあるということです。すなわち弱者た
る労働者、強者たる使用者（今のところは雇主である会社のこ
ことと考えていただければいいです）。この関係から、弱者たる
労働者を守る（保護する）ために、強者たる使用者に規制や制
約を課していく労働基準法をはじめとする労働法があるわけで

す。

　なお、先ほどの受講生との会話にもう少し説明を加えておきましょう。解雇について労働基準法に規定されているのは、その手続などです。解雇を言い渡された労働者にとってまず確かめたいのは、その手続がどうこうよりも、そもそもその解雇を受け入れざるを得ないのか、つまり、その解雇が法律的に有効なものなのか、ということですよね。一応、解雇する権利は、民法という法律（627条１項）を根拠に認められているのですが、会社に強者の立場で好き勝手にこの権利を行使されてはたまりませんよね。そこで、この点については労働契約法という、これまた労働者の保護を目的とする法律で、客観的合理性や社会的相当性を欠く解雇は、権利の濫用として無効とする旨（16条）が定められています。また、現実において失業中の彼には、雇用保険法という法律に基づき、原則として１年間は、その生活保障として１日単位で一定額のお金（「基本手当」といいます）が支給されます。定期的にハローワークに通って手続をして受ける、世間でいうところの「失業保険」のことです。

労働法は3つに分類される

　労働法は、その対象とする分野ごとに３つに分類されます。１つめは、労働者「個人」とそれを雇い使用する側（会社や、場合によっては上司）との関係を扱う分野を対象とする個別的労働関係法（個別法）です。すでに出てきた労働基準法や労働

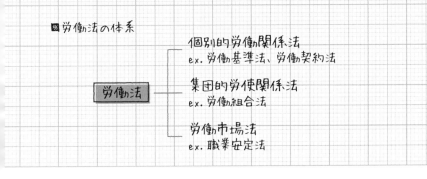

図 労働法の体系

労働法
┣ 個別的労働関係法
　ex. 労働基準法、労働契約法
┣ 集団的労使関係法
　ex. 労働組合法
┗ 労働市場法
　ex. 職業安定法

契約法、それに男女雇用機会均等法などがその代表です。

　2つめは、労働者の団体である「労働組合」と使用者（会社）との関係を扱う分野を対象とする集団的労使関係法（団体法）です。労働組合法や労働関係調整法が挙げられます。

　3つめは労働市場法です。これは、労働力を求めて労働者を雇いたい人（求人者。つまり企業）と労働力を提供して賃金を得るために雇われたい人（求職者）がお互いに相手を探す場としての労働市場における一定のルールを定めるものです。職業安定法、労働者派遣法などが挙げられます。

　このように3つに分類される労働法ではありますが、その根底にあって、共通する視点は、「弱者たる労働者や求職者をいかに守るか」ということです。この点を常に頭の片隅（否、中心！）に置いて勉強を進めていくことが、労働法の理解を深めるためには重要です。

社会保険（法）が登場する場面

　放っておいた虫歯の痛みに耐えかねて、ホケンショウをもって歯医者さんに行ったとき。治療のあとで3,000円払ったとす

れば、その治療には10,000円の費用がかかっていて、自己負担は3割で済む。これが医療保険の典型的な保険給付で、「療養の給付」と呼ばれるものです。会社勤めの人やその家族が入るのが健康保険。自営業者の人が入るのが国民健康保険。対象者によって制度が分かれているのです。また、高齢のお父さんやお母さんが加齢による疾病が原因で、食事や着替えも1人でできなくなったとき、必要に応じた介護サービスが原則として1割の自己負担で受けられます。この制度が介護保険。リタイアした後の老後の生活の経済的安定が損なわれないように、年単位で定められた金額を2か月分ずつ現金で支給されるのが年金保険。これには、全国民共通の制度としての国民年金と、労働者がそれに重ねて加入する制度としての厚生年金保険があります。（狭義の）社会保険は、これらの医療保険、介護保険、年金保険の総称なのです。

社会保険の特徴

　社会保険は、本人の意思如何を問わず強制加入を原則とし、加入した者から徴収する保険料を主要な財源として保険給付などの事業を行っていくものです。そして、加入した者（「被保険者」といいます）の立場でとらえれば、保険料を納付するという義務を果たすことで、必要に応じた保険給付が権利として受けられるということです。これが社会保険の大きな特徴であり、メリットであることをこれからの勉強で学んでいただきた

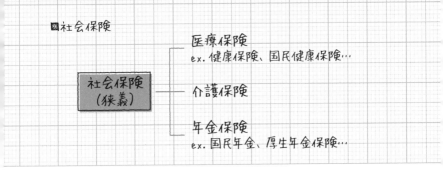

社会保険

医療保険
ex. 健康保険、国民健康保険…

社会保険
（狭義）

介護保険

年金保険
ex. 国民年金、厚生年金保険…

いと思います。

すべての制度は憲法から、そして憲法によって

　ここで、憲法とのつながりについて触れておきましょう。まずは、すべての基本的人権の基底にある「すべて国民は、個人として尊重される。」に始まる憲法第13条です。同条は、個人の尊重と生命・自由および幸福追求に対する国民の権利の保障を宣言したもので、第二次大戦後世界的思潮となり、国際条約の随所で謳われている「人間の尊厳」の理念と深い関係にあるといわれています。そして、個人として尊重する、人間の尊厳を保障するためには、何よりも一定水準の生活の保障が不可欠となります。そこで、みなさんがご存じの「すべて国民は、健康で文化的な最低限度の生活を営む権利を有する。」と定める憲法第25条第 1 項が、いわゆる生存権を謳っています。思わぬ大病を患い、働くことができず医療費がかさみ生活を圧迫する。リストラされて失業し、収入が途絶えてしまう。定年退職して老後の生活費が途絶える。考えてみればこのような生存権

が脅かされる状況は、誰にでも起こり得るのです。憲法は、生存権を宣言したうえで、これを保障する義務を国に課す旨を同条第2項で「国は、すべての生活部面について、社会福祉、社会保障及び公衆衛生の向上及び増進に努めなければならない。」と規定しています。その「社会保障」制度の中心、中核に位置付けられているのが、社会保険なのです。また、近代以降、労働者が、使用者との関係でその生存権が脅かされてきました。そこで、憲法第27条第2項が「賃金、就業時間、休息その他の勤労条件に関する基準は、法律でこれを定める。」として、労働条件の最低基準を定めて使用者に規制を課す労基法をはじめとする前述の個別的労働関係法が制定されています。また、憲法第28条では「勤労者の団結する権利及び団体交渉その他の団体行動をする権利は、これを保障する。」と定めて、社会的経済的弱者である労働者に、団結して団体としてのパワーをもって使用者と対等な立場で労働条件の交渉に臨める権利を与え、これを具体的に定める前述の集団的労使関係法として労働組合法が制定されています。また、憲法第27条第1項には「すべて国民は、勤労の権利を有し、義務を負ふ。」と定められており、その勤労の権利を保障するという観点から、職業安定法などの労働市場法が制定されているのです。

このように、社会保障制度も労働保護法も、すべて憲法を起点とし、憲法によってその存在が根拠づけられているということは、覚えておいてください。

※すべての制度は憲法から
　●憲法第13条；個人の尊重
　　第25条1項；生存権
　　　　2項 ➡ 社会保障制度(ex.社会保険)
　　第27条1項 ➡ 労働市場法(ex.職業安定法)
　　　　2項 ➡ 個別的労働関係法(ex.労働基準法)
　　第28条 ➡ 集団的労使関係法(ex.労働組合法)

どのように勉強していくのか

　これまでお話ししてきたように、社労士試験の対象となる法律は、どれも私たちの生活に直結しているものです。したがって、自分の身に引きつけて、興味と関心をもって勉強を続けていくことができるはずです。試験勉強イコール暗記ととらえてしまうと、すぐに興味や関心が薄れ、本来はおもしろくて有意義な勉強が、苦痛な作業となってしまいます。もちろん、法律の勉強において、ましてや試験勉強において、「記憶すること」は大事な要素であることに間違いはないのですが、その前提が最も大切です。それは「理解すること」です。各法律、各規定の趣旨・目的を正しく理解すること、単なる手続を定めたにすぎない規定であっても、その仕組みや意味を考えて理解し勉強していくことは、知識の定着に大いに役立つのです。また現行の法律や制度が必ずしもベストなものとは限らないし、社会情勢の実態と合わなくなっているものだって当然あり得るのです。したがって、時に批判的な眼をもって勉強していくことがあってもいいわけです。このように、主体的、能動的に勉強し

ていくことが合格の、ひいては短期合格の秘訣であることを、受験生としての、そして講師としての経験から、私は確信しています。

勉強の要領

ここで、実際に勉強に取り組むに際しての簡単なアドバイスをしておきましょう。

法律には、それぞれの体系があります。この体系、つまり全体像を常に頭の中に描けるように心がけることが大切です。そのためには、今、机に向かって勉強している、テキストを読んでいる、その部分、その内容が、全体像の中でどこに位置するものなのかを、常に意識することです。細かな規定も、全体像の中に位置づけることによって、断片的な知識にならずにすみますし（断片的な知識は、なかなか記憶にとどめておくのは難しい）、さらにその内容の理解や記憶の定着に大いに役立つはずです。

また、体系や全体像を描けるようになると、電車やバスに乗っている通勤時間などのテキストを開けない状況にあっても、頭の中だけで勉強ができるようになります。要領は簡単で、ただ自問自答していくだけです。たとえば雇用保険法の失業等給付の全体像を頭の中に描いて、失業等給付の種類は？　求職者給付は何によって分類されているか？　一般被保険者に対する求職者給付には何があるか？　基本手当の受給資格要件は？

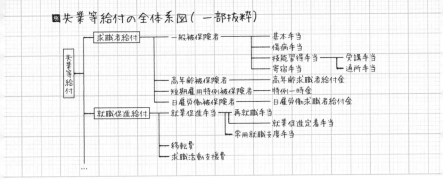

■失業等給付の全体系図（一部抜粋）

給付内容は？　……、「うっ、出てこない……」というところがあれば、会社や家に着いたらすぐにテキストの該当箇所を開いてチェックする。「あっ、そうそう、そうだったよなあ」と確認することが、これまた記憶の定着に大いに役立つはずです。

　こんな、いわれてみれば、なんということのない勉強方法をコツコツと続けていくことが、実は、最も合理的、効率的な受験勉強の秘訣だということを強調しておきます。

まずは試験科目を概観しよう！

　社労士の試験範囲は広く、10科目に及びます。これを最初から深く掘り下げて勉強していくと、途方もない勉強のように感じられ、せっかくのやる気が萎えてしまうかもしれません。そこで、まずは試験範囲をひと通り見渡して、大まかにでもその全体像を把握しておくことは、本格的な勉強を始める準備として有益でしょう。

　これから、各試験科目の法律の目的や全体像、特徴的な規定の趣旨などについて簡潔に、でも重要な説明をしていきます。

興味や関心をもって読んでいただき、さらにそれらを深める本格的な勉強に進んでいただければと思います。

入門講義

労働基準法

主役は労働者、使用者は敵役（かたきやく）！？

　労働基準法（以下「労基法」といいます）は、労働契約（25ページ参照）に基づく労働者と使用者の関係について、一定のルールを強制的に課す法律です。その前提にあるのが、労働者と使用者の力の大きなアンバランスです。

　みなさんも、少なくとも名前はご存じの民法という法律（明治期に公布・施行。その後改正あり）は、売買契約をはじめとする典型的な13種類の契約を挙げて（労働契約も「雇用契約」として含まれています）、それぞれの契約関係において、権利・義務に関する一般的なルールを定めています。その前提にあるのは、契約関係に立つ自由かつ対等な者同士が合意により契約内容を決めるということです。しかし、こと、労働契約関係にあっては労働者と使用者（会社）が自由かつ対等な者同士であるとするのは、実態とはちがいます。

　そこで、現実には経済的にも立場的にも優位にある使用者が、単独で契約内容である労働条件を都合良く決めてしまわないように規制を課す（具体的には労働条件の最低基準を定めて、使

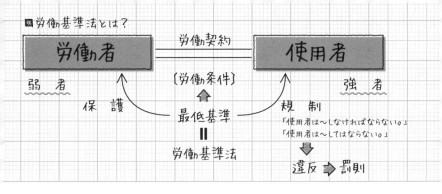

■労働基準法とは？

労働者 ══ 労働契約 ══ 使用者

弱者　　　　　　　　　　　　　　　　　　　強者

保　護　←　〔労働条件〕　→　規　制

最低基準　　「使用者は～しなければならない。」
　　　=　　「使用者は～してはならない。」

労働基準法　　違反 ➡ 罰則

用者にその基準を守らせる）ことにより、労働者を保護することを目的として、労基法が昭和22年に制定・施行されました。

　たとえば「使用者は、1週間の各日については、労働者に、休憩時間を除き1日について8時間を超えて、労働させてはならない。」（法32条2項）と規定しています。このように、労基法のほとんどの条文は「使用者」が主語で、述語の部分は「～してはならない。」「～しなければならない。」となっています。そして、この違反に対しては、原則として、罰則（たとえば「6箇月以下の懲役又は30万円以上の罰金」）が定められています。

ここに熱視線

労基法において、「使用者」はどうも分が悪く、敵役（!?）のイメージが拭えませんが、それはともかく、「弱者たる労働者、強者たる使用者」を前提として、労基法が定められていることを、まず、しっかりと理解しておいてください。現実には、時に強い労働者、弱い使用者もいるでしょうが、労基法はこれを前提にはしていません。法律の勉強は、その前提をひっくり返して考えたりしないことが大原則です。

　以下、労基法のイメージが描けるように、主な規定について、

条文の順番にはとらわれずに、説明していきます。

確認 民法と労基法の前提のちがいは？

労基法の登場人物、「労働者」「使用者」とは？

　労基法では、その保護の対象（適用対象）を明確にするために、労働者について「職業の種類を問わず、事業又は事務所に使用される者で、賃金を支払われる者」と定義しています（法9条）。この「労働者」に該当するか否かを判断するうえでの重要なポイントは、「使用される」と「賃金を支払われる」の2点です。「使用される」とは、使用者の「指揮監督の下で労務の提供」をすること（人的従属性）であり〔関西医科大学研修医（未払賃金）事件：最判平成17.6.3〕、「賃金を支払われる」とは、労働の対償（法11条）として、つまり「働いた見返りとして報酬を受ける」こと（経済的従属性）です。この2点に基づく使用従属関係が実態として認められる者であれば、契約の名称などにかかわらず「労働者」と判断されて、保護の対象として労基法が適用されます。

ここに熱視線

労基法の保護の対象は、「使用従属関係」にあれば正社員に限定されるものではなく、いわゆる非正規のパートタイム労働者や有期雇用労働者、派遣労働者も対象となります。これらの者にも、たとえば所定の要件を満たせば年次有給休暇（法39条）の権利が与えられるのです。

■ 労働者、使用者とは？

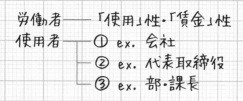

```
労働者 ── 「使用」性・「賃金」性
使用者 ┬─ ① ex. 会社
       ├─ ② ex. 代表取締役
       └─ ③ ex. 部・課長
```

　他方、労基法が規定するさまざまな法的義務を負い、その責任の主体となる使用者については、「事業主（①）又は事業の経営担当者（②）その他その事業の労働者に関する事項について、事業主のために行為をするすべての者（③）」と定義しています（法10条）。

　①は、労働者が労働契約を結んでいる相手方である企業（個人企業の場合は企業主個人、法人企業の場合は法人―ex. ○○株式会社）を指します。②は、法人の代表（代表取締役）や支配人などが該当します。③は、たとえば、部下に対して職務を命じる部・課長などが該当します。これらの者は、人事や労務管理について何らかの権限を有するもので、労基法が規制する事項（たとえば労働時間）の決定について実質的な権限をもっているものです。

　なお、③に挙げた部・課長は、一方ではその部下との関係において労基法上その規制を受け責任の主体となる「使用者」にあたりますが、他方では①の事業主や②の代表取締役等との関係において労基法上その保護の対象となる「労働者」にあたる場合もあることに注意してください（部長や課長は、会社（事

業主）との労働契約においては、労働者側に位置します）。

 「労働者」や「使用者」であるか否かの判断は名称や形式ではなく実質・実態に基づいて客観的に行うのです！

確認 正社員でないと、有給休暇はもらえない？
部長は「労働者」ではない？

労基法は
どんな事業に適用されるのか？

　労基法は、原則として、労働者を使用している事業または事務所であれば、その業種や規模に関係なく（たとえ1人の労働者しかいなくても）、そこで働く労働者を保護するために、強制的に適用されます。なお、同居の親族のみを使用する事業には適用されません。ここには、労働契約関係を前提とした「労働者」がいないと考えられるからです。また、一般家庭に直接雇われ、そこの家族の者から指示されて家事労働をするお手伝いさん（労基法では「家事使用人」といいます）についても、適用されません。お手伝いさんに指示する家族の者に対して、罰則を後ろ盾に労基法の規定を守らせるのは不適切だからです。

 同居の親族のみを使用する事業や、一般家庭に雇われているお手伝いさんには、上記の理由から、労基法は適用されません。

労基法の適用事業

労働者のいる事業
＝
~~業種・規模~~
~~当事者の意思~~
↓
強制適用

確認 親族だけで営んでいる事業に労基法が適用されないの
はなぜ？

労基法の基本原則とは？

　ここでは、労基法を支える基本理念や基本原則を定める条文
を見てみましょう。

　まず「労働条件は、労働者が人たるに値する生活を営むため
の必要を充たすべきものでなければならない。」（法1条1項）
と定められています。「人たるに値する生活」とは、前述した
憲法第13条に基づいて同法第25条第1項に定める「健康で文化
的な最低限度の生活」と同意義です。また、ここにいう「労働
条件」とは、賃金、労働時間、解雇など労働者の職場における
すべての待遇を含むものです。そして、労基法が定める労働条
件の基準は、これを下回ったら人たるに値する生活を営むこと
ができないという最低のものですから、使用者はもちろんのこ
と、労働者も「この基準を理由として労働条件を低下させては
ならないことはもとより、その向上を図るように努めなければ
ならない。」（同条2項）とされています。

ここに
熱視線

たとえば、1日の勤務時間を7時間と定めている会社が、労基法で1日の労働時間は8時間までと定めている（法32条2項）ことを唯一の理由に、勤務時間を7時間から8時間に変更（労働条件が低下している！）してはならないということです。

　労働条件は、「労働者と使用者が、対等の立場で決定すべきもの」とされています（法2条1項）。この規定は、現実には力のアンバランスがあるからこそ置かれているわけですが、さらに労基法では、労働者はただ単に保護の客体にとどまっているだけでなく、その自律性・主体性も前提とされている趣旨を含む規定とも解されます。形式だけではなく、実質的意味でも、自律し主体性を持った労働者が使用者と対等な立場で労働条件を決定すべきであるという労働法の基本理念を宣言したものであることを、しっかりおさえておいてください。また、「労働者及び使用者は、①労働協約、②就業規則及び③労働契約を遵守し、誠実に各々その義務を履行しなければならない。」（同条2項）とされています。①〜③について簡単に説明すると次の通りですが、これらはいずれも労使双方が関わって定めた労使間の権利・義務を根拠づけるものであるということをおさえておくことが非常に重要です。

　①　労働協約とは、労働組合と使用者またはその団体とが結んだ労働条件その他に関する合意であり、原則として、その労働組合の組合員に適用されるもの。

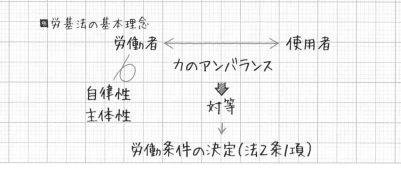

■労基法の基本理念

労働者 ⟵⟶ 使用者

力のアンバランス

⬇

対等

↓

労働条件の決定(法2条1項)

② **就業規則**とは、使用者が定めた職場規律や労働条件であり、その事業場の労働者に適用されるもの（後であらためて説明します）。

③ **労働契約**とは、労働者が使用者の指揮監督の下で労務を提供することを約束し、使用者がこれに対して報酬を支払うことを約束する契約で、労働者の労働条件などが定められるもの。

　上記以外にも、労働者の国籍、信条または社会的身分を理由としてすべての労働条件について差別的取扱いをしてはならないとする**均等待遇の原則**（法3条）、労働者が女性であることを理由として賃金について差別的取扱いをしてはならないとする**男女同一賃金の原則**（法4条）、**強制労働の禁止**（法5条）などが、**労基法の基本原則**として定められています。

ここをチェック！ 労基法の基本原則は、「人たるに値する生活を営むための必要を充たすべきもの」という視点から理解すること！

労使間で、それぞれの権利や義務を根拠づけるものは
なに？

労働契約については
どんな規定があるか？

　まず、労働契約については、労基法で定める基準に達しない
労働条件を定める労働契約は、その部分については無効とされ
ています（①）。しかし、無効とされ、労働条件が確定されな
いままだと、結局、労働者にとって不利な取扱いがなされるこ
ともあるでしょう。そこで無効となった部分は、労基法で定め
る基準により、労働条件を確定することになっています（②）
（法13条）。①の効力を「強行的効力」、②の効力を「直律的効
力」といいます。

> **ここに熱視線** たとえば、ある労働者との契約書に「1日の労働
> 時間は9時間」と記されていれば、これは法32
> 条2項に定める「8時間」を超えている（「基準
> に達しない」）ので無効となり、この労基法で定
> める「8時間」がそのまま契約の内容となるという
> ことです。ちなみに、契約書に「6時間」とある
> のが「8時間」とされることはありません。労基法
> が定めるのはあくまでも最低基準だからです。

　労基法は、強行法規です。強行法規とは、当事者の合意の有
無・内容にかかわらず当事者を規律する性格をもつ法規範のこ
とをいいます。上記①②の規定（法13条）は、労基法が強行法

❽ 労基法の性格

労基法は強行法規
➡
第13条 ┏ 強行的効力
      ┗ 直律的効力

規であることを示す条文でもあるのです。そして、強行法規という性格をもって労働者を保護し、使用者に規制を課していることをおさえてください。

　また、労働契約の締結の際には、労働者にとって労働条件が明確になっていなければならないので、使用者は、労働者に一定の労働条件を、書面を交付するなどして、明示しなければならないとされています（法15条）。

> **ここをチェック！** 労働契約締結時に明示された所定の労働条件が事実と異なるときは、労働者は労働契約を即時に解除できるとされています。

確認　労基法の強行的効力、直律的効力とは？

契約期間については
どんな規定があるか？

　期間の定めのある労働契約が締結された場合には、その期間中はやむを得ない事由がなければ使用者も労働者も契約を解除することができません（民法628条、労働契約法17条1項）。そ

こで**労基法**は、期間の定めのある労働契約によって**労働者が長期にわたって拘束されることを防ぐ目的**で、契約期間を制限する規定をおいています。それは、**原則**として、**3年**を超える契約期間を定めることを禁止し、**例外**として、①一定の事業の完了に必要な期間を定める場合にはその期間（たとえば橋の建設に6年かかる場合には6年）、②**高度な専門知識、技術、経験を有する労働者**（たとえば社会保険労務士）と満60歳以上の労働者については3年を超え**5年**以内の期間を定めることを認めるというものです（法14条）。

解雇については
どんな規制があるか？

　解雇とは、使用者が**一方的に労働契約を解約する**ことです。とは言え、労働契約は労働者と使用者の双方の約束（合意）によって成立するものなのに、これを使用者が一方的に解約するなどということは、そもそも認められているのでしょうか。

　民法では、期間の定めのない雇用契約について、**2週間の予告期間**を置けば、労働者側からであれ、使用者側からであれ、いつでも解約できる旨を定めています（民法627条1項）。この解約の自由を使用者側から見たものが「解雇の自由」（解雇権）です。つまり、**民法のこの規定を根拠に「解雇権」は認められているのです。**

　ただし、最高裁判所で確立した**解雇権濫用法理**が、労働契約

■解雇についての規制

解雇権〔解雇の自由〕(民法627条1項)

規制
- 解雇制限期間(労基法19条)
- 解雇予告期間・解雇予告手当(労基法20条)

法という法律で条文化され、その第16条で「解雇は、客観的に合理的な理由を欠き、社会通念上相当であると認められない場合は、その権利を濫用したものとして、無効とする。」と規定されていることは、プロローグですでにお話ししましたね。労働者にとって解雇は、経済的にも、そのキャリア形成においても大きな打撃なので、労働者保護の観点から、この規定（法理）により、裁判では解雇はなかなか認められにくくなっています。

また、解雇は、たとえ有効なものとされても労働者の生活に重大な影響を及ぼすことが多いので、労基法は特に次の2つの規制を設けて労働者を保護しています。

① 解雇制限期間

使用者は、労働者が業務上の負傷や疾病による療養のために休業する期間およびその後30日間、ならびに、労基法が定める産前産後休業の期間（母体保護の観点から、産前6週間は本人の請求により、産後8週間は請求の有無を問わず与えなければならない休業期間—法65条）およびその後30日間は、原則として、その労働者を解雇してはならないとしています（法19条）。これは、労働者が、

解雇されるという不安なく安心して療養のための休業や産前産後の休業が取れるようにするために定められた規定です。

② 解雇予告期間

　使用者は、労働者を解雇しようとするときは、原則として、少なくとも30日前にその予告をするか、または30日分以上の平均賃金（予告手当）を支払わなければならないとされています。「平均賃金」とは、これを算定すべき事由が生じた日以前の3箇月間に、その労働者に支払われた賃金の総額を、その総日数で除したものです。なお、この予告期間の日数は、1日分の平均賃金を支払った日数だけ短縮できます（法20条）。

　この規定は、突然の解雇で被る労働者の生活への重大な影響を緩和するために、民法が定める2週間よりも長い予告期間を置くことや、予告期間を置かずに即時解雇するときは予告手当を支払うことを使用者に義務づけて、解雇の意思表示をした後、少なくとも30日間の労働者の生活保障を使用者に課したものです。

■賃金に関する規定

賃金 → 定義「労働の対償」
　　 → 支払方法5原則と例外
　　　　①通貨払の原則
　　　　②直接払の原則
　　　　③全額払の原則
　　　　④毎月1回以上払の原則
　　　　⑤一定期日払の原則

ここに熱視線

上記の手続を行わずに解雇した場合はどう扱われるのでしょうか。もちろん労基法違反で罰則の対象になります。しかし、その解雇自体が無効になるかどうか（私法上の効力）は、また別の問題です。最高裁判例では、使用者が即時解雇を固執する趣旨でない限り、解雇通知後30日が経過するか、あるいは通知後に予告手当が支払われた場合には、それをもって解雇の効力が生じると判断しています（細谷服装事件：最判昭和35.3.11）。

ここをチェック！

労基法が規制するのは使用者が行う解雇なので、労働者は民法の規定により、原則として2週間の予告期間で解約可能です。

確認　「明日から来なくてもいいから！」って、いきなりの解雇はあり？

賃金にはどんな規定が設けられているのか？

　労働の対価として支払われる賃金は、労働条件のうちで最も

重要なものの1つです。労基法において賃金とは、労働の対償^{たいしょう}として使用者が労働者に支払うすべてのものと定義されています（法11条）。そして、使用者にこの賃金を確実に支払わせて労働者の経済生活の安定を図るために、賃金の支払方法について、次の5つの原則を定めています（法24条）。

① 通貨払の原則（通貨以外のもの、たとえば現物による支払は禁止）

② 直接払の原則（労働者の代理人への支払は禁止）

③ 全額払の原則（賃金から勝手に控除はできません）

④ 毎月1回以上払の原則（給料日は毎月1回以上）

⑤ 一定期日払の原則（不定期の給料日はダメ）

なお、①の例外として、労働者の同意を得て、その指定する金融機関の口座へ振り込むことなどができると規定されています。②の例外として、労働者が病気などのため給料日に出勤できないときに、代わりに来た「使者」（家族等）に支払うことは可能とされています。③の例外として、法令に基づいて、たとえば労働者が負担する社会保険料を賃金から控除することや、労使協定を締結して、たとえば社宅の費用などを賃金から控除することができると規定されています。

全額払の原則については、使用者が労働者に対してお金を貸している場合や、労働者が使用者に損害を与えて一定の金額を賠償しなければならない場合など、その金額と賃金とで差引き、つまり「相殺」できるのかが、よく問題となります。

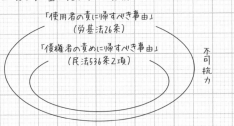

民法536条2項と労基法26条の関係

「使用者の責に帰すべき事由」
（労基法26条）

「債権者の責めに帰すべき事由」
（民法536条2項）

不可抗力

ここに熱視線

最高裁判例によれば、使用者の一方的な相殺は禁止されますが、労働者の同意を得ている相殺（合意相殺）や、労働者の自由な意思による賃金債権の放棄は認められています（日新製鋼事件：最判平成2.11.26判決、シンガー・ソーイング・メシーン事件：最判昭和48.1.19判決）。また、賃金支払後に欠勤した場合など、すでに払った過払い分を次の賃金で清算すること（調整的相殺）も、全額払の原則に違反しないとされています（福島県教組事件：最判昭和44.12.18判決）。これらはいずれも、<u>労働者の経済生活の安定</u>を損なうことはないだろうということで認められているものです。

　また、賃金に含まれるものとして、労基法が定める休業手当があります。これは、「使用者の責に帰すべき事由」により労働者を休業させる場合、使用者は、労働者の最低生活を保障するために、休業期間中、少なくとも平均賃金の6割以上を支払わなければならないとするものです（法26条）。たとえば、工場などの場合、原材料不足による休業や円の急騰による輸出不振のための一時休業では、使用者は休業手当を支払わなければなりません。

なお、民法の規定（536条2項）を適用すると
「債権者」＝「使用者」の責任で仕事ができな
かった場合には、100％の賃金請求権が保障さ
れます。労基法の休業手当は60％以上の保障
ですが、「使用者の責に帰すべき事由」とは民法
のそれよりも広い範囲と解され（ノースウエスト航空
事件：最判昭和62.7.17判決）、経営上の障害
も含むなど、不可抗力の場合を除くほとんどすべ
ての事由が含まれます（33ページの図参照）。こ
の点と、罰則をもって履行が確保されている点が
民法の規定との大きなちがいです。

ここを
チェック！
賃金支払5原則については、労働者の経済生
活の安定を図る！　という観点を忘れずに。

労働時間、休憩および休日に関する規制は？

　労働時間は、賃金とならんで労働者にとって最も重要な労働
条件の1つです。長時間労働は労働者の健康を害し、その精神
的なゆとりも損なうものなので、労基法は次のように労働時間
に制限を設けています。

　使用者は労働者に休憩時間を除いて、原則として①1週間に
40時間を超えて、②1日に8時間を超えて、労働させてはなら
ない（以下「法定労働時間」といいます）とされています（法

■法定労働時間等の規定

　　　　＜原則＞
　　労働時間 ──→ 週40時間、1日8時間
　　休憩 ───→ 労働時間6時間超で45分、
　　　　　　　　　8時間超で1時間
　　休日 ───→ 毎週少なくとも1回

32条）。

　この規制の対象となる「**労働時間**」は、最高裁判例では、労働者が使用者の**指揮命令下**に置かれていると**客観的に評価できる時間**とされています（三菱重工業長崎造船所事件：最一小判平成12.3.9）。規制の対象となる労働時間に該当するか否かの判断を使用者の主観<small>ゆだ</small>に委ねてしまっては、労働時間の制限を労基法に定めた意味がなくなるからです。たとえば、ビルの警備員の夜間の仮眠時間も、仮眠室への滞在と警報が鳴ったときの対応が義務づけられていた（そういう指揮命令を受けていた）ことから、労基法の労働時間と解釈した判例があります。

　休憩も、労働者にとっては疲労の回復、仕事の能率、また労働災害防止という観点から必要です。労基法では、**労働時間が6時間を超える場合は少なくとも45分、8時間を超える場合は少なくとも1時間の休憩時間を労働時間の途中に**与えなければならないとされています（法34条）。

　休日は、原則として、**毎週少なくとも1回の休日**（以下「法定休日」といいます）を与えなければならないとされています（法35条）。週休2日制を採用する企業が多くなっていますが、

労基法では、あくまでも最低基準として、週休1日制を定めているわけです。

なお、**労働時間、休憩および休日の規定**は、部長や課長などの**管理監督者等には適用されません**。部長や課長なども労基法上の労働者にあたりますが、その具体的な職務と地位の実態から見て、その職責を果たすためには労働時間の規制にしばられることなく活動することが要請されるので、労働時間、休憩、休日規制を適用しないものとされているのです（法41条）。

法定労働時間や法定休日に例外は認められるのか？

使用者は、法定労働時間を超えて、または法定休日に労働者を労働させてはならないのが原則です。違反した場合には、罰則が適用されます。ただし、例外として①**災害などにより臨時の必要がある場合**、および②**労使協定を締結し、行政官庁に届け出ている場合**には、法定労働時間を超える労働（「時間外労働」といいます）や法定休日における労働（「休日労働」といいます）をさせることができるものとされています（①法33条、②法36条）。この場合は、罰則の適用は免れますが、**法定の割増賃金**の支払義務が課されます（後述）。

ここでは②について説明します。

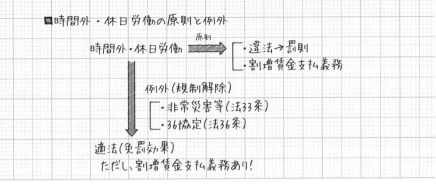

時間外・休日労働の原則と例外

時間外・休日労働 ──原則→ ・違法→罰則
・割増賃金支払義務

例外(規制解除)
・非常災害等(法33条)
・36協定(法36条)

適法(免罰効果)
ただし、割増賃金支払義務あり!

36協定による例外
さぶろくきょうてい

　使用者は、事業場の労働者の過半数で組織する労働組合（労働者の過半数で組織する労働組合がないときは労働者の過半数代表者）と労使協定を締結し、これを労働基準監督署長に届け出た場合は、その協定の定めに従って時間外労働・休日労働をさせることができるとされています（法36条1項）。

ここに熱視線

たとえば業務の繁忙の場合などには、労働者の個別の同意ではなく、労働者の過半数という、いわば団体の意思による同意を条件に、労働時間や休日の規制を解除しようというものです。これにより、使用者は、時間外・休日労働を適法に行わせることができるわけです。ただ、「時間外労働」「休日労働」であることにはかわりがないので、次に説明する割増賃金の支払義務は免れません。

　36協定では、あらかじめ1日、1箇月、1年のそれぞれの期間の時間外労働の時間数または休日労働日数について定めなければなりません。特に時間外労働の時間数は、通常予見される時間外労働の範囲内において、「限度時間」を超えないものと

しなければなりません。「限度時間」は、1箇月45時間および1年間360時間と法定されており、「限度時間」を超えた時間外労働を定めた部分は法13条の規定（26ページ参照）により無効となり（強行的効力）、その時間外労働は「限度時間」を定めたものとされます（直律的効力）。

さらに、使用者は36協定によって労働時間を延長して労働させまたは休日において労働させる場合であっても、1箇月については100時間以上、2箇月以上6箇月間では月平均80時間を超えて労働させてはならないとしています（絶対的上限）。そして、この違反には刑罰が科されます。

> **ここに熱視線** この「絶対的上限」時間数は、過労死の労災認定基準（令和3基発0914第1号）に該当する長時間労働を禁止するという観点から構想されたものです。したがって労災認定基準と同様に、時間外労働時間数に休日労働時間数を合算したものになっています。

なお、時間外労働・休日労働を使用者が労働者に命ずることができる権利や労働者がその命令に従う義務は、この労使協定から当然に生じるものではなく、あくまで労働協約、就業規則又は労働契約にその旨を定めておく必要があります（24ページ参照）。

■36協定による時間外・休日労働

| 限度時間規定 | ➡ | 強行的効力・直律的効力 (法13条) |
| 絶対的上限規定 | ➡ | 違反 → 刑罰 (法119条1号) |

ここをチェック！　この労使協定は法第36条に規定されているので36協定（さぶろくきょうてい）と呼ばれています。

確認　時間外労働や休日労働は、36協定さえ結べばさせられる？

割増賃金（わりましちんぎん）とは？

　労基法では、時間外労働・休日労働・深夜労働について、割増賃金を支払うことを使用者に義務づけています。たとえば、1日について8時間を超えて労働させた部分については、通常の賃金の125パーセント以上の額の賃金を支払わなければなりません（40ページ表参照）。時間外労働と休日労働についての割増賃金の支払義務は、使用者に経済的負担を課すことによって、いわば間接的に法定労働時間と法定休日を確保し、また深夜業についての割増賃金の支払義務は、これをもって深夜業を制限しようとする趣旨です。

■賃金の割増率

	通常の賃金に対する割増率
時間外労働	2割5分以上※
休日労働	3割5分以上
深夜労働	2割5分以上

※時間外労働が1箇月について60時間を超えた場合には、その超えた時間については5割以上

 なお、労働時間、休憩および休日の規定が適用されない前述の管理監督者等（法41条）には、時間外労働、休日労働を前提にした割増賃金は発生しません。また、「働き方改革」により平成31年4月から導入された高度プロフェッショナル制度の対象労働者には、労働時間、休憩、休日および深夜業に関する規定も適用されないので、使用者には、これらについての割増賃金の支払義務は一切生じません。

 深夜労働とは、午後10時から午前5時までの時間帯に行う労働をいいます。

確認　労基法に定める割増賃金の趣旨とは？

年休で心身のリフレッシュ

　年次有給休暇（以下「年休」）とは、労働者が一定の期間について、賃金請求権を失うことなく、労働義務から言わば解放される制度です。年休権の内容としては、**6箇月間の継続勤務**

■法定の割増賃金

時間外労働・休日労働・深夜労働

⬇

通常の労働時間・労働日の賃金 × 割増率

と8割以上の出勤率を満たした労働者にまず10日の休暇が付与され、以後勤続1年経過ごとに1日ずつ、そして勤続3年6箇月以降は2日ずつ追加して付与され、勤続6年6箇月以降では20日を上限として休暇を付与するものです（法39条）。

■付与日数

継続勤務年数	0.5年	1.5年	2.5年	3.5年	4.5年	5.5年	6.5年以上
付与日数	10日	11日	12日	14日	16日	18日	20日

ここに熱視線　この制度は、労働者が賃金を受け取りながらまとまった休暇を取ることで、休養・娯楽・能力開発などの機会を確保して、健康で文化的な生活を享受するためのものです。

　使用者は、労働者が請求した時季に年休を与えなければなりませんが（労働者の時季指定権）、「事業の正常な運営を妨げる場合」には、他の時季に与えることができます（使用者の時季変更権）。労基法は、労働者が年休の時季を指定する権利をもつことを前提として、それが「事業の正常な運営」を妨げる場合に、使用者に時季変更権の行使を認めるという形で調整を図っているわけです。

なお、これまで年休の取得率がなかなか上がらなかったことから、労働者が一定の日数以上の年休を取得するように、使用者が時季を指定して個々の労働者に年休を付与しなければならない規定も置かれています。

職場の規律は就業規則で

　就業規則は、職場内での服務規律や統一的な労働条件について定めた規則類の総称です。主な内容としては、始・終業時刻や休憩・休日、年休に関する事項、賃金に関する事項、解雇事由を含む退職に関する事項などです。就業規則の本来の目的は、労働条件の安定性と透明性を確保し、事業場にルールを確立することによって労働者保護を図ることにあるといわれています。労働者は、最低限、就業規則で定められた労働条件を保障され、また、就業規則で明記されていない服務規律上の義務や懲戒処分を免れることになるからです。労基法では、常時10人以上の労働者を使用する使用者に、上記の事項を含む所定の事項を記載した就業規則の作成を義務づけています。

たいていどこの会社でも労使間の権利や義務の
根拠（つまり労働契約の内容）としての役割を
担っているのは就業規則といってもいいでしょう。そ
んな就業規則の作成や内容の変更に際して、使
用者は事業場の労働者の過半数組合等の意見
を聴くことが義務づけられているだけで、合意を得
ることまでは義務づけられていません。少なくとも労
基法にある就業規則の作成や変更に関する規定
ではそうなのです。そこで、労働契約法という別
の法律で、就業規則の内容が労働契約の内
容とされるには、それが合理的なもので労働者に
周知されていることが必要とされています。

法の履行確保は？

　労基法は、その違反には原則として刑罰を科すこととして、
その定める労働条件の最低基準の確保を図ろうとしています。
また、法の履行確保のために、各都道府県労働局や労働基準監
督署などの労働基準監督機関が設けられており、労働基準監督
官には、法違反について司法警察官としての権限（捜査や逮捕
などの権限）が与えられています。

「ありがとうございました。」

「はい、お疲れさまでした。」

　夜の講義のあと、1人の男性と2人の女性の受講生がそれぞれ2つずつの質問をもって僕のところにきた。3人目の2つ目の質問に答え終わり、その女性が教室を出て受講生が誰もいなくなると、さっきまで、微熱を帯びていた教室の空気が、すーっと心地よい冷気に変わったように感じた。

　忘れ物がないか、教室の中を一回りしてから廊下に出て、自習室になっているとなりの教室のドアを開けた。黒板に向かって右側の壁際の一番後ろの席で、彼女はちょっと考え込んでいる様子だった。今、講義が終わったクラスとは別のクラスに在籍する受講生だ。教室には彼女ひとりしかいなかった。机の上にはテストの冊子が開けられていて、彼女は左手にもったテキストを読んでいる。

「終わったよ。」

「あ、もうそんな時間？　先生、お疲れさま。」

「うん。どう、勉強は進んでる？」

「はい、今、前に受けたテストをもう一度はじめから解き直してるんだけど、そのときは気にならなかったところが、何か引っかかっちゃって。だから、もう一度テキストにもどって確認してるんです。テキストには、講義で先生が説明してくれたことをメモってるから。時間かかるけど、そこまでやらないと納得できないの。」

「理想的な復習、勉強だね。」

「先生の講義、壁越しに聞こえてた。」

「うるさくなかった？」

「ううん、全然。内容まではわからなかったけど、なんかいいテンポだったみたい。先生の講義を聴きながら勉強しているみたいで、なんかおもしろかった。」

「ならよかった。あっ、もうそろそろ自習室を閉める時間だから。気をつけて帰ってね。」

「わかりました。先生、お疲れさま。」

「うん、じゃ、また講義で。」

「はい、よろしくお願いします。」

memo

労働安全衛生法

労働災害に対して

労働災害はその発生によって、労働者の健康や生命、労働能力を奪うだけでなく、その労働者が働けなくなることにより、その者が支える家族の生活の安定をも奪うことになります。このような損害をもたらす労働災害は、労働者が労働契約関係のもとで働くなかで、その業務に内在している危険が現実化したものといえます。

そこで、労働者保護という観点から、労働災害の予防と被災労働者およびその家族への補償という2つの側面から、現行法は労働災害に対処しています。これから説明していく労働安全衛生法は、労働災害予防の中核であり、安全衛生管理体制、労働災害の物的・人的な要因の排除、企業の自主的改善の促進などが定められています。

労働基準法からの独り立ち?!

安全衛生に関する事項も、賃金や労働時間などとともに労働条件の重要な要素です。ですから、当初は労基法に「第5章

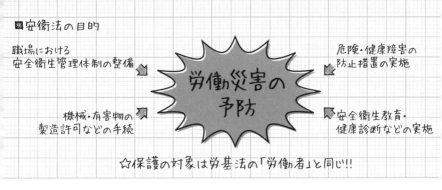

▣ 安衛法の目的

職場における
安全衛生管理体制の整備

危険・健康障害の
防止措置の実施

労働災害の
予防

機械・有害物の
製造許可などの手続

安全衛生教育・
健康診断などの実施

☆保護の対象は労基法の「労働者」と同じ!!

安全及び衛生」として、安全衛生に関する最低基準などが定められていました。しかし、昭和30年代半ば頃からの高度経済成長の過程で機械設備の大型化・高度化等が進み、それとともに労働災害も増大してきたため、労基法制定当時の簡素な安全衛生に関する規定のままでは、対処しきれなくなってきました。そこで、この第5章の部分を労基法から分離独立させ、これを基本として、技術革新、生産設備の高度化、元請・下請労働者の混在作業などに伴う労働災害の予防策を幅広く展開するための規制事項を加えて、昭和47年（1972年）に「労働安全衛生法」（以下「安衛法」といいます）が誕生しました。その後も時代に応じて新たな規制が付加されるなどのいく度かの改正を経て、現在に至っています。以上の経緯からも明らかなように、安衛法の保護の対象である「労働者」は、労基法の労働者とイコールです。

確認　安衛法と労基法の関係は？

安衛法の目的は？

　安衛法の目的は「職場における労働者の安全と健康を確保

するとともに、**快適な職場環境の形成を促進すること**」（法1条）です。安衛法では、「事業を行う者で、労働者を使用するもの」（個人企業の場合は事業経営主、法人企業の場合は当該法人）を「事業者」と呼び（法2条3号）、この事業者は、「単に安衛法で定める**労働災害防止のための最低基準**を守るだけでなく、快適な職場環境の実現と労働条件の改善を通じて職場における労働者の安全と健康を確保するようにしなければならない」（法3条1項）と規定しています。これは、労働災害予防の責任の所在を明確にして、その事業経営の利益の帰属主体に労働災害防止義務があることを明らかにする趣旨です。

　安衛法はその目的を実現するため、事業者その他の関係者に対して、①**職場における安全衛生管理体制の整備**、②**危険・健康障害の防止措置の実施**、③**機械・有害物の製造許可などの手続**、④**安全衛生教育・健康診断などの実施**を義務づけています。以下、簡単に説明していきましょう。

> | 確認 |　安衛法の責任の主体である「事業者」と労基法の「使用者」とのちがいは？

安全衛生管理体制
——子どもの頃、学校で

　労働災害の効果的な予防には、企業内での労働者による自主的な安全衛生活動が不可欠です。子どもの頃、小学校や中学校には生徒たちで組織する安全委員会や美化委員会がありません

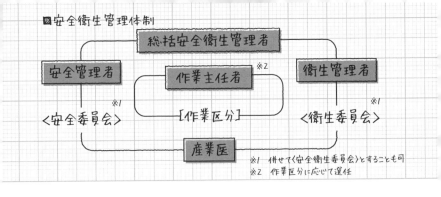

■安全衛生管理体制

総括安全衛生管理者

安全管理者 ── 作業主任者 ※2 ── 衛生管理者

〈安全委員会〉※1 ── 〔作業区分〕 ── 〈衛生委員会〉※1

産業医

※1 併せて〈安全衛生委員会〉とすることも可
※2 作業区分に応じて選任

でしたか。委員の生徒たちが自分たちで校内を見回り、危険な場所や遊びなどをチェックし、その対策を話し合ったりする役割を負っていたのではないでしょうか。もちろんその役割について何か責任まで負わされるわけではありませんでしたが。

安衛法に定める「安全衛生管理体制」も、基本的な考え方はこれに近いといえます。それは、そこで働く労働者で、職場における安全・衛生に関して一定の専門的な知識や実務経験、免許などを有するものが、一定の役割を担い、事業場を見回ってチェックし、自分たちでその対策を考えていく体制です。この体制を事業場ごとに設けることを、安衛法は、その責任の主体である事業者に義務づけているのです。事業場の業種や規模（労働者数）によって異なるところはありますが、基本となる仕組みは上の図のとおりです。

安全管理者や衛生管理者として選任されるのが、上図にある労働者たちです。そして彼らの職務を統括管理する立場にあるのが、総括安全衛生管理者です。総括安全衛生管理者は、工場長や作業所長など、事業場を統括管理する権限や責任を有する者をもって選任されますが、安全管理者や衛生管理者のように

安全衛生に関する専門的な知識や実務経験、免許などは要求されません。

　また、労働者の健康管理の実効性を確保するためには医師による医学的管理が不可欠です。そこで、一定の事業場ごとに産業医の選任が義務づけられています。特に平成30年の安衛法の改正では、産業医の誠実職務遂行義務が確認され、さらに、事業者に、産業医に対し労働時間等の必要な情報を提供する義務を課して産業医による面接指導や健康相談等が確実に実施されるようにし、また、事業者は産業医からの勧告を尊重するとともに衛生委員会又は安全衛生委員会（後述）に報告する義務が定められました。

　職場の安全（逆に言えば危険？）を一番よく知っているのは現場の労働者です。そこで、事業場の過半数組合又は過半数代表者が推薦した労働者を委員とする「調査審議機関」の設置が義務づけられています。それが安全委員会と衛生委員会（併せて安全衛生委員会とすることもできます）です。安全委員会は事業場の労働者の危険防止に関する重要事項について、衛生委員会は事業場の労働者の健康障害の防止および健康の保持増進に関する重要事項について、それぞれ調査審議して事業者に対し意見を述べる役割を担っています。

　この安全衛生管理体制が機能せず（それぞれが各自の職責を果たさず）、労働災害が発生したとしても、その責任は、あくまでも、事業者が負うことになります。

■ 人的災害要因の除去

● 安全衛生教育 ─── 雇入れ時・作業内容変更時
　　　　　　　　└── 一定の危険有害業務への従事
● 就業制限業務 ─── 一定の有資格者のみ

　安全衛生管理体制の全体像を頭の中に描いてみよう！

 安衛法の責任の主体は「事業者」！ 労基法
の責任の主体は「使用者」！

安全衛生に関する意識・知識の向上が大事

　労働災害を防止するには、労働者が扱う機械や、その作業環境などに内在する物質的な災害要因を除去することがまず第一ですが、それとともに実際に作業に就く労働者の安全衛生に関する意識と知識の向上を図ることも不可欠です。

　そこで、安衛法は、人的な災害要因の除去を目指して、新規に労働者を雇入れた時や作業内容を変更した時に、また労働者を一定の危険有害業務に従事させる際に、安全衛生教育を行うことを事業者に義務づけています。また、ボイラーの取扱い業務など、適切に操作を行わないと爆発等の重大な災害を招く危険な作業を要する一定のものを就業制限業務として定め、一定

の資格を有する者でなければ就業させてはならないこととしています。さらに、事業者は、中高年齢者、身体障害者、出稼ぎ労働者など労働災害の防止上その就業に際して特に配慮を必要とする者については、これらの者の心身の条件に応じて適正な配置を行うように努めなければならないとされています。

健康診断、過重労働・メンタルヘルス対策の充実

　会社に勤めている人であれば、入社時の健康診断（けんこうしんだん）や年に一度の定期健康診断（ていきけんこうしんだん）を受けた経験があるはずです。これは、安衛法に基づくものです。

　安衛法では、労働者の健康の保持増進（ほじぞうしん）の措置として、作業環境を良好に維持する「作業環境管理」、個々の労働者の健康に配慮して労働者の従事する作業を適切に管理する「作業管理」、そして、労働者の健康状態を把握し適切に対処する「健康管理」の３つの管理を事業者に義務づけています。

　その１つ「健康管理」では、常時使用するすべての労働者を対象とする「雇入れ時の健康診断」と「定期健康診断」、そして一定の有害業務に従事する労働者に対する「特殊健康診断」などの実施が、事業者に義務づけられています。なお、事業者は、健康診断の結果を労働者に報告しなければならず、健康診断により異常があると診断された労働者に対しては、産業医などの意見を勘案して、作業の変更や労働時間の短縮などの必要

- ・労働者の健康の保持増進
  - ➡ 健康診断(事業者は実施義務、労働者は受診義務)
- ・過重労働・メンタルヘルス対策
  - ➡ 面接指導(時間外労働80時間/月超)
- ・ストレスへの気付きの促進
    メンタルヘルス不調のリスク低減
  - ➡ ストレスチェック&面接指導

な措置を講じなければならないとされています。

　近年、過重労働や業務による心理的負荷との関連性が強い疾患の発症が増えてきています。そこで安衛法では、過重労働・メンタルヘルス対策として、事業者は、時間外労働が月80時間を超え疲労の蓄積が認められる労働者について、本人の申出により、医師による（いわゆる長時間労働者に対する）「面接指導」を行わなければならないとし、また当該労働者について医師の意見を聴いて必要があると認めたときには、作業の転換、労働時間の短縮などの措置を講じなければならないとしています。

　また、時間外、休日労働の「絶対的上限時間」規制（38ページ参照）が適用除外とされる「研究開発業務」に従事する労働者については、時間外労働等が月100時間を超える場合には、事業者は本人の申出がなくても医師による面接指導を行わなければならないとされています。

　さらに、事業者には、常時使用する労働者に対して、心理的な負担の程度を把握するための医師や保健師等による検査（ストレスチェック）を実施することを義務づけ（労働者が50人未

満の事業場は当分の間、努力義務）、高ストレス者として、ストレスチェックに基づく面接指導が必要と評価された労働者からの申出があったときは、医師による面接指導を行わなければならないとしています。これらは、労働者自身の「ストレスへの気付き」と「職場環境改善」によりメンタルヘルス不調※を未然に防止することを目指すものです。

※「メンタルヘルス不調」とは、精神および行動の障害に分類される精神障害および自殺のみならず、ストレス、強い悩みおよび不安など、労働者の心身の健康、社会生活および生活の質に影響を与える可能性のある精神的および行動上の問題を幅広く含むものをいいます。

 産業医や医師などは、所定の要件に該当する労働者に面接指導の申出を行うよう勧奨することができると規定されています。

確認 　過重労働・メンタルヘルス対策として事業者に義務づけられているものは？

法の履行の確保は？

　安衛法は、もともとは労基法に置かれていた規定が分離・独立したものですから、その履行確保の制度の基本は、労基法と同様に、行政監督と刑罰です。都道府県労働局長や労働基準監督署長には、事業者らが法違反をしている場合には、労働災害を防止するために作業の停止や建築物の使用停止を命じる権限

が与えられています。

確認 法規制の実効性を確保する仕組みは？

「先生、校内テストはいつだって100点を取る気でが
んばってくださいと、受講生のみなさんに伝えてくださ
い！」

　都内の某ホテルの大広間で行われた合格祝賀会で、
決して短期合格とは言えない、30代の女性合格者から
声をかけられた。

「私、絶対あきらめません。合格します！　だって悔し
いもの」肩をふるわせてしゃくりあげながらも僕の目をまっ
すぐに見ながら、彼女は言った。あれから1年かあ。そ
れまで、彼女ほど泣き虫で根性のある受講生には、男
女を問わず出会ったことがなかった。そして、勉強にお
いて、決して要領は良くないが自分に厳しい努力家だっ
た。1回目の受験の時から、択一式は50点前後、選択
式は常に30点を超えていた。それでも、その年の本試
験が終わるとすぐに、僕の担当する次年度向けの基本
講座の講義に一番前に座って熱心に耳を傾けてくれてい
た。発表の日まで不安な思いにかられて過ごすよりは、
もう一度先生の講義を聴いて、法律の理解を深めてお
きたいから、などと泣けることを言ってくれる。こちらから
してみれば、たぶん大丈夫だよ、少しは休んだら、と言
いたいところだが。

　そして合格発表。成績表の通知。1点っ！！　総合得
点は優に合格ラインを超えているのに、選択式で1点足
りない。これが何年続いたことか。それでも彼女は投げ
出さなかった。毎年、同じ内容の講義であっても、あ

たかも初めて聴くかのように、僕の話の一言だって聴き漏らすまいというオーラ出しまくりで、真剣なまなざしを向けてくる。校内テストはたいてい100点だったが、それが果たせないときは泣いた。働きながら勉強していると聞いていたので、ある時、お仕事の内容を訊いてみた。同年代の男性顔負けの恐ろしい忙しさと責任の重さ。その上で、この勉強への入れ込みよう。すごいっ！

　彼女の勉強には、いわゆる暗記という言葉がなかった。テキストを読み込み、考え、講義を聴いて、理解する。質問する。そして、徹底的に問題演習をする。テキストを読んでいる時も、問題を解いているときも、じっとしていることはない。常にペンを持ち、考え方の筋道、キーワードや数字を書き出していた。内容の理解を前提に、頭と手に覚えこませているようだった。

　現在、彼女は従来の仕事に加え、勤務社労士として活躍している。実務上の問題に頭を悩ませながらも、さらに勉強を続けている。そして僕は、彼女に負けないよう毎回100点満点の講義を目指している。

労働者災害補償保険法

労災保険制度がなかったら?!

　たとえば、ある会社の工場で働く従業員のAさんが、仕事の最中に機械の誤作動（ご さ どう）によって大ケガを負った場合、Aさんは会社（使用者）に対して損害賠償請求（そんがいばいしょうせいきゅう）をすることができます。これは、民法第709条（不法行為（ふ ほうこう い））に基づくもので、交通事故で被害者が加害者に損害賠償請求をするのと同じです。しかし、この民法の規定では相手側に落ち度や不注意、すなわち過失があることが前提とされ、そして損害賠償請求をする側がこれを立証（りっしょう）する責任を負い、この立証ができなければ損害賠償を受けることができません（「過失賠償責任（か しつばいしょうせきにん）」といいます）。会社が自らその過失を認めないケースでは、被災した労働者がこれを立証することは実際上は困難で、なかなか損害賠償を受けられないのが現実です。そこで、この点に配慮した規定が、労基法に設けられている災害補償の規定です。

　労基法第75条以下の一連の災害補償規定（さいがい ほしょう き てい）では、「業務上」生じたケガや病気、あるいは死亡であれば、使用者側の過失の有無を問わず、使用者は被災労働者あるいはその遺族に一定の補

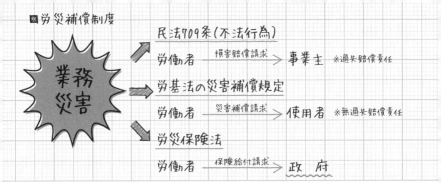

労災補償制度

業務災害

民法709条(不法行為)

労働者 ──損害賠償請求→ 事業主　※過失賠償責任

労基法の災害補償規定

労働者 ──災害補償請求→ 使用者　※無過失賠償責任

労災保険法

労働者 ──保険給付請求→ 政　府

償をしなければならないとしています(「無過失賠償責任」と
いいます)。労働者側の立証責任の負担をなくし、その保護を
図っているわけです。しかし、これで問題解決というわけには
いきません。使用者に十分な資力がない場合には、災害補償を
受けられないおそれがあるからです。

　このように、民事損害賠償制度や労基法の災害補償制度だけ
では被災労働者の保護に欠けることから、それをカバーするた
めに、労災保険制度、すなわち「労働者災害補償保険法」が制
定されたのです。その目的を謳う第1条の趣旨は、民事損害賠
償や労基法の災害補償では果たせない「迅速かつ公正な保護を
するため、必要な保険給付を行」うというものです。労災保険
では、働いていてケガや病気などの災害が発生した場合、それ
が「業務災害」と認められれば、被災労働者は政府に対して「保
険給付」の請求をすることができます。政府が保険給付を行う
ことになるので、使用者の無資力を心配する必要がありませ
ん。また、保険給付の内容は労基法によって使用者に義務づけ
られている補償内容を多くの点で上回るものになっています。

　一方、使用者にとっても大きなメリットがあります。労災保

険制度は、政府が管掌する社会保険制度の形をとっているので、労働者を使用する事業主がその全額を負担し納付する義務を負っている保険料を財源として、被災労働者・遺族に政府が直接保険給付を行うものです。この仕組みにより、政府が保険給付を行った場合には、保険料を納付している事業主（使用者）は、その保険給付に相当する損害賠償や労基法上の災害補償を行う責任を免れるのです。

> **ここに熱視線** 現行の労災保険法では、労働者を1人でも使用する事業は原則として労災保険への加入が義務づけられているので、実際には労基法が定める使用者による災害補償が行われることはほとんどなくなっています。

確認 労災保険と、民事損害賠償制度や労基法の災害補償制度との関係は？

すでに労災保険に入っている？！

労災保険は、事業単位で適用されます。そして一部の例外を除いて、労働者を使用するすべての事業が、強制的に（法律上当然に）労災保険の適用事業となります。「労災保険に入らない」という選択肢はないのです。適用事業について比喩的に説明すれば、労働者を使用する事業の上には自動的に労災保険のカサが開いて、そのカサの下にいる労働者は労災保険で保護される適用労働者となり、事業主には保険料の負担や納付などの

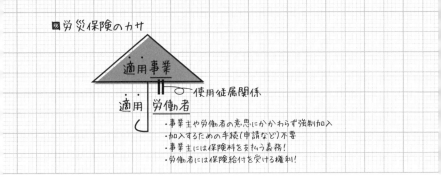

労災保険のカサ

適用事業
＝ 使用従属関係
適用 労働者

・事業主や労働者の意思にかかわらず強制加入
・加入するための手続（申請など）不要
・事業主には保険料を支払う義務！
・労働者には保険給付を受ける権利！

手続を行う義務が生じるというものです。

ここに
熱視線

それでは、ある会社の社長が「うちには労災保険は必要ない！」といって会社が保険料を払っていない場合、その会社で労働者が仕事をしていてケガをしてしまったらどうなるのでしょうか。もちろん、労働者は政府に保険給付を請求してこれを受けることができます。なぜなら、会社の上には例の労災保険のカサが開いているからです。つまり、会社は社長の意思にかかわらず法律上当然に労災保険に入っているので、そこで働く労働者が労災保険で保護されるのは当然です。「保険料を払っていないのに?!」と思われるかもしれませんが、それと労働者が保険給付を受けられること（労災保険のカサが開いて労働者が保護されること）とは別問題です。保険料を払っていない社長（会社）は、政府が行った保険給付に要した費用の額を一定の限度で請求されます。労災保険に入っている以上、保険料を納めるという事業主の義務を果たしていないのだから当然です。

ここを
チェック！

事業主には、「労災保険に入らない」という逆選択は認められません！

確認 事業主が労災保険の保険料を納めていないとどうなるの?

アルバイトにも保険給付!
社長にも?!

　そもそも労災保険法は、**労基法の災害補償制度をカバーする保険制度**としてつくられたもので、その保護の対象となる労働者(**適用労働者**(てきようろうどうしゃ))は労基法で定義される労働者(「職業の種類を問わず、事業又は事務所に使用される者で、賃金を支払われる者」つまり**使用従属関係**にある者)ということになります。したがって、正社員だけでなく、いわゆる非正規労働者とされる有期契約やパート、派遣で働く人や、日雇いで働く人、アルバイトで働く人も、労災保険法の適用労働者となります。

　社長は?　もちろん「労働者」ではないので当然にはその保護は及びません。しかし、**中小企業で一定の規模・業種に該当**する会社の社長が、たとえば、普段は自らも作業服に身を包み、自分が雇う若い従業員とともに機械を前に汗まみれ油まみれで仕事をしているような場合は、**労働者と同じ業務災害を被る危険にさらされているので、その限りで労災保険で保護する必要性**も考えられます。ここから「**中小事業主の特別加入**(とくべつかにゅう)」という制度が設けられました。中小企業という枠で区切られた一定の規模・業種の要件を満たす事業の社長が申請をし、政府の**承認**を受ければ、労働者と同じように、社長も業務災害による保険

■労災保険法の適用労働者

正式名称

「労働者災害補償保険法」

||

労基法の「労働者」!!が保護の対象

||

中小事業主

…しかし、労働の態様は労働者と同じ→特別加入可

給付を受けることができるのです。なお、現在の特別加入制度では、個人タクシーの運転手などの独立自営業者や、国内の適用事業から海外の企業へ派遣された労働者なども対象とされています。

> **ここをチェック!** 労働者は手続なしで、中小事業主は特別加入の手続をして、労災保険の保護の対象になるのです!

確認 労災保険で保護されるのは正社員だけ？

「業務災害」の認定が大前提!

労災保険法による保険給付は、従来「業務災害に関する保険給付」「通勤災害に関する保険給付」「二次健康診断等給付」の3つが定められていましたが、令和2年9月から、2以上の事業に使用される労働者に対応した「複数業務要因災害に関する保険給付」が加わることになりました。本書では、まず基本となる「業務災害に関する保険給付」と「通勤災害に関する保険給付」について説明していきます。

労働者や遺族が政府に対して「業務災害」または「通勤災害」

に関する保険給付の請求をしても、政府が「業務災害」または「通勤災害」と認定しなければ、保険給付は一切行われません。それでは、これらの認定はどのようにして行われるのでしょうか。まず、「業務災害」について説明します。

「業務災害」と認定されるためには、①業務遂行性と②業務起因性の2点が必要とされます。①は「労働者が労働契約に基づいて事業主の支配下にある状態」、②は「業務に内在する危険が現実化したと経験法則上認められること」を意味します。

一般に業務遂行性が認められれば業務起因性が推定されます。

ここに熱視線

たとえば前述の、工場内での仕事の最中に機械の誤作動で大ケガをしたケースのように、事業場内で業務に従事している場合には、業務遂行性は明らかであり、業務を逸脱する行為がない限り、業務起因性も認定されます。また、事業場外で業務に従事する出張の場合には、出張の過程の全般について使用者の支配下にあるといえるため業務遂行性が認められ、積極的な私的行為が原因とされない限り、業務起因性が認められます。なお、会社の運動会や社員旅行、取引先の接待などの社外行事への参加は、会社の事業活動に密接に関連し、上司から要請されていた行動の範囲内であれば、明示的な指示がなくても、使用者の支配下にあったと評価して、業務上と認定する判決も出ています（国・行橋労基署長（テイクロ九州）事件：最判第2平成28.7.8判決）。

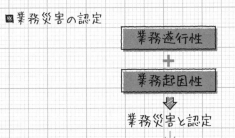

■業務災害の認定

業務遂行性
＋
業務起因性
⬇
業務災害と認定
↓
保険給付

確認 業務災害の認定はどのように行われる？

職業性疾病（業務上疾病）について

　業務災害のうち、いわゆる**職業性疾病**は、その発症に労働者の元からの疾病（基礎疾病）や加齢、生活要因などが関わることも多いことから、労働者側でその**業務起因性を立証すること**はきわめて困難です。そこで、現行法では**労働基準法施行規則の別表第1の2**において、医学的な経験則から、業務とその業務起因性が認められる疾病（職業性疾病）をリスト化することで、**立証の困難性を緩和**しています。すなわち、労働者がリストに列挙されている特定の業務に従事し、その業務に起因するものとしてリストに**規定された疾病**を発症したときは、原則として、**業務起因性が推定される**ことになっています。つまり、一定の疾病については労働者の側で医学的な因果関係を事案ごとに立証しなくても済むようになっているのです。たとえば重量物を取り扱う業務による「腰痛」、石綿にさらされる業務による「肺がん又は中皮腫」、長期間にわたる長時間の業務による「脳梗塞・心筋梗塞等」、心理的に過度の負担を与える事象

を伴う業務による「精神及び行動の障害又はこれに付随する疾病」などが定められています。

さらに、リストに列挙された疾病のどれにも該当しない場合でも、「その他業務に起因することの明らかな疾病」という規定が置かれており、労働者の側で医学的な因果関係を立証できれば業務上の疾病と認定されます。

過労自殺も労働災害?

いわゆる過労自殺（たとえば、過重な業務→うつ病→自殺）も業務上の災害となり得ます。労災保険法上は、労働者が故意に死亡を生じさせたときは、保険給付を行わないとしています（法12条の2の2）が、業務による過労とうつ病との間に因果関係がある場合には、自殺の業務起因性を認める裁判例も出ています。

飲み屋で一杯、逸脱・中断?!

労災保険給付は、「通勤災害」に対しても行われます（労基法の災害補償規定は、通勤災害には適用されません）。ここにいう「通勤」とは、①住居と就業の場所との間の往復だけでなく、②複数就業者の事業場間の移動や、③単身赴任者の赴任先住居と帰省先住居との間の移動も含まれ、これらの場所の間を合理的な経路と方法で移動することをいいます。ただし、この通勤の途中で移動の経路を逸脱し、又は中断した場合には、そ

過労自殺等

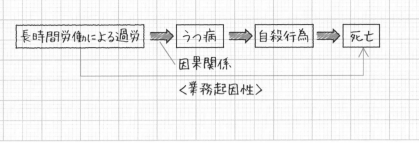

長時間労働による過労 ➡ うつ病 ➡ 自殺行為 ➡ 死亡

因果関係

<業務起因性>

の逸脱又は中断の間およびその後の移動は、通勤とはされません。

ここに熱視線

たとえば「会社帰りに飲み屋で一杯」という行為。会社を出て、いつも利用する駅へと続く大通りを歩いていたところ、飲み屋に立ち寄るために角を曲がれば、これが逸脱。いいお酒を飲んでいる時間、これが中断。したがって、角を曲がったら最後、その後は通勤と扱われません。店を出ていつもの帰り道、大通りに戻ってもダメです。通勤と扱われない以上、ここで被った災害について保険給付が行われることはありません。ただし、この逸脱・中断が<u>日常生活上必要な行為</u>（日用品の購入や病院における診察など）をやむを得ない事由のために最小限度で行うものである場合には、これらの逸脱・<u>中断後</u>の移動は、「通勤」とされます（この場合も、逸脱・<u>中断の間</u>は通勤とはされません！）。

複数業務要因災害とは？

　労災保険給付の対象となる「複数業務要因災害」とは、事業主が異なる2以上の事業に使用される労働者（「複数事業労働

者」といいます）の2以上の事業の業務を要因とする傷病等の災害のことをいいます。

　2以上の事業に使用される労働者については、それぞれ個々の事業場の業務だけでは発生し得ない傷病等（したがって業務災害とは認められないもの）であっても、2以上の事業の業務を合わせたものが要因となって傷病等の災害が発生する場合が考えられます。たとえば、A社およびB社で勤務していた労働者が、それぞれの業務だけでは発症し得ないが、A社およびB社での業務の相乗効果で心疾患を発症した場合です。このような場合、A社、B社個々の事業場では業務災害と認められず、業務災害として保険給付が行われることはありません。しかしこれでは、兼業・副業等を行う労働者にとってあまりに不合理です。そこで、複数の就業先での業務上の負荷を総合して評価し、傷病等との間に因果関係が認められる場合には、「複数業務要因災害」として労災保険給付を行うこととしています（複数業務要因災害は、それぞれの個々の事業場の業務だけでは傷病等との間に因果関係が認められないので、個々の事業場は労基法上の災害補償責任を負いません）。

　なお、複数事業労働者であっても、1つの事業場における業務のみで労災認定できる場合は、業務災害として保険給付が行われます。

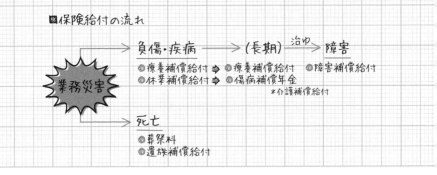

■保険給付の流れ

負傷・疾病 ───→ （長期） ─治ゆ→ 障害

業務災害

①療養補償給付　⑤療養補償給付 ➡　⑦障害補償給付
④休業補償給付　⑩傷病補償年金
　　　　　　　　　　　　＊介護補償給付

死亡
⑧葬祭料
⑨遺族補償給付

保険給付の手続と内容は？

　「業務災害」「複数業務要因災害」または「通勤災害」が発生した場合、その被災労働者または遺族は政府（具体的には「労働基準監督署長」）に保険給付の請求を行うことができます。政府はこの請求を受けて、「業務災害」「複数業務要因災害」または「通勤災害」と認定したときは、保険給付の支給決定を行います。なお、政府が「業務災害」「複数業務要因災害」または「通勤災害」と認定せず、保険給付の不支給決定をしたときは、被災労働者等はこの処分を不服として、労働者災害補償保険審査官に審査請求をし、またその決定に不服があれば労働保険審査会に再審査請求を申し立てることができます。

　保険給付の種類としては、次のものがあります（内容については70〜72ページ参照）。

■保険給付の種類

業務災害	複数業務要因災害	通勤災害
①療養補償給付	複数事業労働者療養給付	療養給付
・傷病の療養のための給付		
②休業補償給付	複数事業労働者休業給付	休業給付
・療養のための休業期間の補償としての給付		
③障害補償給付	複数事業労働者障害給付	障害給付
・傷病が治っても障害が残った場合の給付		
④遺族補償給付	複数事業労働者遺族給付	遺族給付
・労働者が死亡した場合の給付		
⑤葬祭料	複数事業労働者葬祭給付	葬祭給付
・労働者が死亡した場合の葬祭費用としての給付		
⑥傷病補償年金	複数事業労働者傷病年金	傷病年金
・療養を開始して1年6月を経過しても治らず休業している場合の補償としての給付		
⑦介護補償給付	複数事業労働者介護給付	介護給付
・障害（補償）等年金又は傷病（補償）等年金を受ける場合の介護費用としての給付		

　上記の各災害に対する保険給付は、原則として同じ内容となっています。また、上記の保険給付とは性質が異なる保険給付として、「二次健康診断等給付」があります。これは、過労死の予防という観点から設けられたものです。

　業務災害に関する保険給付の流れを整理すると69ページの図のようになります。

確認　業務災害、複数業務要因災害および通勤災害について、どんな保険給付があるの？

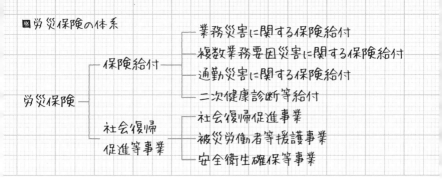

「現物給付」と「現金給付」

　①〜⑦の保険給付のうち、①療養補償給付は、労災保険を扱う医療機関で無料で治療が行われる「現物給付」を原則としています。他の保険給付は、災害を被ったことにより失われた労働者の稼得能力を補てんする目的で金銭を支給する「現金給付」です。たとえば、被災して療養のため労働することができないために賃金を受けることができない日について支給される②休業補償給付の額は、1日につき給付基礎日額（労基法のところで触れた「平均賃金」に相当する額）の60％となっています。

　また、障害による労働能力の喪失を補てんすることを目的とする③障害補償給付は、その対象となる障害について、程度に応じて1級から14級まで等級が定められていて、重い方の1〜7級は年金で、8〜14級は一時金で支給されることになっています。たとえば両上肢をひじ関節以上で失った場合などは1級に該当し、年金として1年につき給付基礎日額の313日分が毎年支給されます。

亡くなった労働者に扶養されていた一定の遺族に対してその被扶養利益の喪失を補てんすることを目的とする④遺族補償給付は、その遺族の数に応じた年金額が毎年支給されます。たとえば、労働者の死亡当時扶養されていたその妻と、一定の年齢要件や障害要件を満たしている子が2人いて、3人で暮らしていくことになれば、遺族3人分の年金額（給付基礎日額の223日分）が、その妻に支給されます。各保険給付の具体的な支給要件や支給内容については、本格的に勉強を始めたときに確認してください。

保険給付プラス「特別支給金」

　政府は、労災保険の目的を達成するため、保険給付を行うほか、社会復帰促進等事業を行っています。そのうちの1つである被災労働者等援護事業の一環として、特別支給金の支給を行っています。これは、労働災害による損失・損害を補てんする保険給付に上積みして支給される金銭給付です。その趣旨は、被災労働者やその遺族へのお見舞い、援護または弔意です。

■特別支給金と保険給付

	傷病特別年金	障害特別年金	障害特別一時金	遺族特別年金	遺族特別一時金	
						特別給与を算定基礎とする
休業特別支給金（20%）	傷病特別支給金 1級〜3級	障害特別支給金 1級〜14級		遺族特別支給金 一律 300万円		定額支給（休業特別支給金は定率）
休業（補償）等給付（60%）	傷病（補償）等年金	障害（補償）等年金又は一時金		遺族（補償）等年金又は一時金		

（左欄外：特別支給金／保険給付）

> **確認** 保険給付のほかに支給されるものは？

労災保険と民事訴訟

　労災保険法は、労災により生じた労働者や遺族の全損害の全部ではなくその一部を簡易迅速に補償する制度です。保険給付は定型化され、現金給付の額はいわば定額であって、実際の損害に対応したものではなく、また慰謝料も含まれていません。それ故、完全な補償を受けるための民事損害賠償制度との併存が認められています。ただその際に二重の補てんを避けるという観点や労災保険制度の趣旨から、労災保険の保険給付が行われれば、その額の限度で、事業主は民事上の損害賠償についてその責任を免れるとされています。逆に見れば、労働者や遺族は労災保険の保険給付が行われても、その対象に含まれていな

い損害について、別途、損害賠償請求をすることができます。

COLUMN3 理想的な、彼の学習スタイル

　夜の講義が終わって、帰りのエレベーターホールで彼と一緒になった。講義2回に、1回のペースで鋭い、手強い質問をもってくる彼だ。駅までの道すがら、彼の受験生生活を、さり気なく訊いてみた。

　30代前半で、営業職。教室での、どことなく余裕を感じさせる、30代前半とは思えない落ち着いた雰囲気とは裏腹に、仕事ではかなり多忙な日々を過ごしているらしかった。それでも、勉強に対する姿勢は徹底したものがあった。まず、講義のない平日は、必ず3時間を勉強に当てる。①朝の通勤電車内で30分。②会社の入っているビルの1階のコーヒーショップで出勤前に45分。③退社後は、学校の自習室で90分。④帰りの電車内で20分。講義のある平日は、③が講義時間に替わる。週末2日の休日は、1日は早朝から自習室にこもって少なくとも8時間、調子のよい時は10時間を超えていることも。そしてもう1日は、勉強は完全にオフ。

　「べつに、勉強を始める前に、こんなふうに勉強をする時間帯と量を決めていたわけじゃないんです。勉強を始めたら思いのほか楽しいし、興味がもてたので、無理なく勉強に当てられる時間は勉強しようと思っていたら、気がついたらこんな生活になっていたんです。」

　彼は勉強する時間帯で、勉強する内容も分けていた。①や④の短い時間は作業的な勉強。つまり、記憶やその確認をすることに重点を置いた。いわゆる暗記カードや一問一答式の正誤問題集を使う。②や③、そして休日のように長時間机に向かうときは、じっくり考えて理解を心がける勉強。つまり、テキストの読み込み、講義の復習、五肢択一や選択式の問題演習を行う。

　「記憶する勉強や確認する勉強も、その前に、ちゃんと理解ができていないと、ムダな繰り返しになると思ったんです。だから、先生の講義中の説明を聞いて、自分の頭でそれをトレースする。そしてスッキリしないときは、先生に質問させてもらっています。」

　彼は1回の受験で、見事合格を果たした。

雇用保険法

シツギョウホケンで暮らしてる!?

「あの人、シツギョウホケンで暮らしてるらしいよ」とか「どうしたらシツギョウホケンってもらえるの?」とか、耳にしたり口にしたことありますよね。ここでいうシツギョウホケンは、失業中の人が一定期間ごとに公共職業安定所(一般に「ショクアン」「ハローワーク」と呼ばれている役所)に通って手続をしたうえで支給を受けるオカネのことで、正しくは「基本手当」というものです。労働者が失業して収入の途を失ったときに一定額の所得を保障して生活を支えて、早く再就職できるようにするために、この基本手当をはじめとする所定の給付(求職者給付・就職促進給付)を支給する制度を定めているのが、「雇用保険法」です(昭和49年の改正で「失業保険法」から現在の法律名に変わりました)。

そして現在の雇用保険制度では、労働者が失業した場合だけでなく、労働者本人が高齢になったことや家族を介護することになったことにより働き続けるのが難しくなった場合に必要な給付(雇用継続給付)を行い、また労働者が職業能力を高める

- 失業等給付
  - 失業した場合 → 求職者給付(ex.基本手当)
    → 就職促進給付
  - 雇用の継続が困難となる事由が生じた場合 → 雇用継続給付
  - 教育訓練を受けた場合 → 教育訓練給付
- 育児休業等給付
  - 子を養育するための休業及び所定労働時間を短縮することによる就業をした場合 → 育児休業給付
    → 出生後休業支援給付
    → 育児時短就業給付

ために自ら教育訓練を受けた場合や労働者が子を養育するための休業をした場合にも必要な給付（教育訓練給付・育児休業等給付）を行うものとされています。これらの給付を行うことにより、「労働者の生活及び雇用の安定を図る」ことを雇用保険法は目的にしています（第１条前段）。

上記の給付は、「失業等給付」と「育児休業等給付」に分類されます。政府が保険者（実施主体）となって労働者と事業主がそれぞれ負担する保険料を事業主からまとめて徴収し、労働者に保険事故（失業など）が生じた場合に、公共職業安定所における所定の手続を経て、これらの給付を支給する仕組みになっています。主な給付の内容については、あとでお話しします。

確認 雇用保険法に規定する失業等給付や育児休業等給付は、それぞれどんな場合に対して行われる？

「被保険者」であることから始まる！

雇用保険の失業等給付や育児休業給付を受けるためには、雇用保険の適用事業とされている会社などで「被保険者」として一定期間働いている（または働いていた）という実績が必要で

す（「被保険者」とは、一般に保険料を負担する義務を負うとともに、保険事故が発生したときは保険給付を受ける権利を取得することができる者のことです）。

　雇用保険も、労災保険と同じように、事業単位で適用され、一部の例外を除いて、労働者が雇用されるすべての事業が、法律上当然に雇用保険の適用事業となります（雇用保険のカサが開くことになります）。そして、雇用保険の主たる給付事由である「失業」の前提は、「離職」することであり、この「離職」とは雇用関係が終了することなので、雇用保険の被保険者とされるためには、まず、適用事業と「雇用関係」を有していることが必要となります。

　なお、週所定労働時間が20時間未満の者や同一事業主のもとでの雇用の見込み期間が31日未満の者など短時間の又は臨時的・短期的な雇用につく者は、原則として適用対象から除外され、被保険者にはなれません。それは、雇用保険がその適用対象としているのが、原則としてフルタイムで働く、常用雇用労働者（すなわち正規型従業員で、ひとたび失業すれば生活保障と再就職支援を要する者）だからです。これに該当する労働者を、雇用保険の典型的な被保険者として、「一般被保険者」（65歳以上の者にあっては「高年齢被保険者」）といいます。なお、「一般被保険者」または「高年齢被保険者」とされない労働者であっても、所定の要件を満たせば別の種別の被保険者となることがあります。それが「短期雇用特例被保険者」「日雇労働

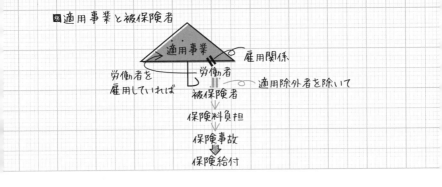

適用事業と被保険者

適用事業　雇用関係

労働者を雇用していれば　労働者　適用除外者を除いて

被保険者

保険料負担

保険事故

保険給付

被保険者」です。

確認　被保険者とは？　そして雇用保険の被保険者の種類は？

事業主は責任重大！！　届出を怠ると…

　適用事業に雇用される（「雇用関係」を有する）労働者は、適用除外者（てきようじょがいしゃ）を除いて、法律上当然に被保険者となります。そして、被保険者として一定期間働いた実績に基づいて失業等給付や育児休業給付を受けることができます。とすると、この被保険者として一定期間働いたという記録が重要になってきますね。

　そこで、事業主はまず、雇い入れた労働者が被保険者となったときに、その者の「雇用保険被保険者資格取得届（資格取得届）（こうほけんひほけんしゃしかくしゅとくとどけ　しかくしゅとくとどけ）」を翌月の10日までにその事業所の所在地を管轄（かんかつ）する公共職業安定所長に提出しなければなりません。また、その雇用する労働者が退職などで被保険者でなくなったときは、その者の「雇用保険被保険者資格喪失届（こうほけんひほけんしゃしかくそうしつとどけ）」を10日以内に同じく公共職業安定所長に提出しなければなりません。これらの届出を怠ると

被保険者であった者が失業等給付や育児休業等給付を受けることができなくなることもあるので、罰則（6箇月以下の懲役または30万円以下の罰金！）をもって事業主にこの届出を義務づけています。

> **ここをチェック!** ちなみに労災保険では保険給付を受けるのに「一定期間働いた」という実績が問われることはないし、「被保険者」という概念もなく、その手続もありません。

失業者の生活を支える
シツギョウホケン＝「基本手当」とは

　失業等給付のうち「求職者給付」は失業者の生活保障を目的とするものですが、これは被保険者の種類によって81ページの図のように定められています。

　被保険者の種類は、雇用形態や年齢により分けられています。つまり、失業前の雇用形態や年齢により失業の態様も違うので、それぞれの失業の態様にふさわしい給付内容となるように定められているのです。

　ここでは、現役世代のフルタイムの常用雇用の労働者すなわち「一般被保険者」が失業した場合に支給される「基本手当」について説明します。

● 受給資格要件──何が問われているのか？

　基本手当は、①原則として離職の日以前の2年間に「被保険

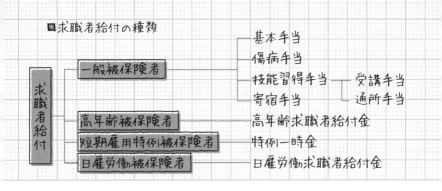

図　求職者給付の種類

```
            ┌─ 基本手当
            ├─ 傷病手当
    一般被保険者 ─┤
            ├─ 技能習得手当 ─┬─ 受講手当
            └─ 寄宿手当     └─ 通所手当
求
職  高年齢被保険者 ───── 高年齢求職者給付金
者
給  短期雇用特例被保険者 ── 特例一時金
付
    日雇労働被保険者 ───── 日雇労働求職者給付金
```

者期間」が通算して12箇月以上ある者（受給資格者）が、②「失業」状態にあるときに支給されるものです。なお、原則として「被保険者期間」の計算は、離職の日からさかのぼって被保険者であった期間を１箇月ごとに区分し、各区分期間のうちに賃金の支払の基礎になった日数が11日以上あるものを「被保険者期間１箇月」として行います。

　①の要件は、一定期間以上雇用保険の被保険者としての保険料を負担し、かつ、従事する産業に貢献したという実績を問うものです。②の「失業」状態とは、「被保険者が離職し、労働の意思及び能力を有するにもかかわらず、職業に就くことができない状態にあること」をいいます（法４条３項）。

> **ここに熱視線**
>
> ここでいう「労働の意思」とは、就職しようとする積極的な意思をいいます。「労働の能力」とは、労働に従事し、その対価を得て生活していくことができる精神的、肉体的及び環境上の能力をいいます。何か特別な意思や能力が要求されているわけではありません。①および②の要件を満たすからこそ、雇用保険はその失業中の生活を保障してくれるわけです。

● 手続の流れ——受給資格プラス手続

　基本手当の受給には、さらに所定の手続が必要です。受給手続の流れを示すと次のとおりです。

(1)　基本手当を受給しようとする者は、まず自分の住所または居所を管轄する公共職業安定所（管轄公共職業安定所）に行き、求職の申込みをしたうえで離職票を提出します。離職票とは、失業する前の被保険者のときに受けていた賃金の支払状況などが記載されたもので、離職により被保険者でなくなったときに事業所の所在地を管轄する公共職業安定所の所長から交付されたものです。

(2)　管轄公共職業安定所長は、提出された離職票により基本手当を受給する資格があると認めた（受給資格の決定をした）ときは、その者が失業の認定を受けるべき日（失業の認定日）を知らせるとともに、受給資格者証（個人番号カードを提示して離職票の提出をした者であって、受給資格通知の交付を希望するものに対しては受給資格通知）を交付します。

(3)　失業の認定は、求職の申込みをした公共職業安定所において、最初に行った日から4週間ごとに1回ずつ直前の28日の各日について行われます。つまり、失業の認定日は4週間に1回のペースで設定され、その都度公共職業安定所に通うことになります。その際、失業認定申告書に受給資格者証を添えて（受給資格通知の交付を受けた

場合にあっては、原則として個人番号カードを提示して）提出したうえ、職業の紹介を求めなければなりません。管轄公共職業安定所長は、求職活動をきちんと行ったこと（求職活動実績が原則２回以上あること）を確認して、失業の認定を行います。「失業」状態にあること、すなわち「労働の意思及び能力」のあることがチェックされるわけです。

　そして、失業の認定日の直前の４週間のうち失業していたと認定された日数分の基本手当が支給されます。

 求職者給付の支給を受ける者は「誠実かつ熱心に求職活動を行うことにより、職業に就くように努めなければならない」と規定されています。

確認　基本手当の受給資格要件と受給手続の流れは？

いつまで基本手当に頼れるのか？

　基本手当を受けられる期間（受給期間）は原則として、離職した日の翌日から１年間です（求職の申込みをした日の翌日から１年間ではありません）。ただし、１年間＝365日すべての日について基本手当が受けられるわけではありません。

　基本手当を受けるには、まず、求職の申込みをした日以後通算して７日間は失業の状態にあることが必要で、この期間（待期といいます）は基本手当が支給されません。これは、７日に

満たない失業は生活保障するまでもないという考え方と、基本手当の濫用を防ぐという目的から設けられたものです。また、基本手当が支給される日数には所定給付日数という限度があります。受給期間の1年を経過していなくても、この所定給付日数分の基本手当を受給してしまえば、基本手当は受けられません。なお、受給期間は離職の翌日から起算されるので、求職の申込みが遅くなると、所定給付日数分の基本手当を受給していなくても、受給期間の1年が経過したことにより、基本手当を受けられなくなることがあります。

「所定給付日数」（85〜86ページの表①〜③参照）は、原則として、被保険者であった期間（算定基礎期間）に応じて設定されます。たとえば、①は被保険者として保険料を負担（雇用保険制度に貢献）した実績に基づいて定められています。②の倒産・解雇等により離職を余儀なくされた者については、その離職理由や年齢から早期の再就職が難しい点を考慮して、所定給付日数が相対的に多く設定されています。また③の障害者など就職が困難な者に対しても所定給付日数が多く設定されています。

確認 基本手当の受給期間と所定給付日数の関係は？

基本手当は、離職の日の翌日から起算してかならず1年間（受給期間）支給されるというわけではなく、また、かならず所定給付日数分が支給されるというわけではありません。

いくらもらえるの？

基本手当の日額は、本人が離職前6箇月間に受けた賃金額（ボーナス等の一時金を除く）の1日当たりの平均額である「賃金日額」の45〜80％とされています（賃金日額が低いほど給付率が高くなります）。

■基本手当の所定給付日数

① 一般の離職者（定年退職、自己都合退職等）

離職日における年齢	算定基礎期間		
	10年未満	10年以上 20年未満	20年以上
65歳未満	90日	120日	150日

② 倒産・解雇等による離職者

離職日における年齢	算定基礎期間				
	1年未満	1年以上 5年未満	5年以上 10年未満	10年以上 20年未満	20年以上
30歳未満	90日	90日	120日	180日	―
30歳以上 35歳未満	90日	120日	180日	210日	240日
35歳以上 45歳未満	90日	150日	180日	240日	270日
45歳以上 60歳未満	90日	180日	240日	270日	330日
60歳以上 65歳未満	90日	150日	180日	210日	240日

③　就職が困難な者（障害者等）

離職日における年齢	算定基礎期間	
	1年未満	1年以上
45歳未満	150日	300日
45歳以上65歳未満		360日

 基本手当の日額にあまり大きな格差が生じないように給付率で調整しています。

離職理由で支給開始が遅れる?!

　離職した被保険者が基本手当の支給を受けるためには、本来その失業が、任意のものではなく、また、生活保障を必要とするものでなければなりません。この点をふまえて給付制限が設けられています。

　被保険者が、「自己の責めに帰すべき重大な理由」によって解雇された場合や、被保険者が「正当な理由がなく自己の都合によって」退職した場合には、原則として、待期期間が満了した後1箇月以上3箇月以内の間で公共職業安定所長の定める期間は、基本手当を支給しないとされています。これは、基本手当を当てにして離職しようとするのを抑制するためのものです。

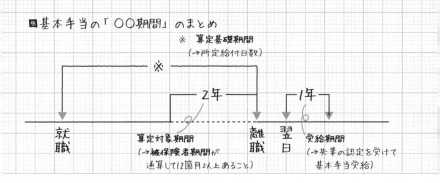

■ 基本手当の「○○期間」のまとめ

※ 算定基礎期間
（→所定給付日数）

就職

算定対象期間
（→被保険者期間が
通算して12箇月以上あること）

離職

翌日

受給期間
（→失業の認定を受けて
基本手当受給）

給付制限によって、所定給付日数が減るわけで
はありませんが、支給開始が遅くなった分、実質
的な受給期間の短縮となります。すると、受給
期間内に所定給付日数分の基本手当を受けき
れない場合も出てきますが、そのときは受給期間
を延長して所定給付日数分の基本手当を受給で
きるように配慮されています。

ここを
チェック!

離職理由によって、所定給付日数が減らされる
わけではありません。

確認 基本手当の支給開始が遅れる場合とは？

就職促進給付、その目的は？

「就職促進給付」は、失業者が早期に再就職することを促す
ために設けられたものです。

基本手当は失業期間中に支給されるものですから、再就職し
たときは所定給付日数が残っていても支給されなくなります。
そこで、所定給付日数分の基本手当を受け終わるまで就職を控

えようとする者が出てくることも考えられます。それはまずいので、受給資格者が早期に再就職したときは、支給せずにすんだ所定給付日数の残りの日数（支給残日数）の一部を還元する形で支給し、就職を控えようとする者に就職を促そうと設けられたのが、就職促進給付の中心となる就業促進手当の1つである「再就職手当」です。たとえば、所定給付日数の3分の1以上を残して安定した職業に就いた人には基本手当日額に支給残日数の60%を乗じて得た額を、所定給付日数の3分の2以上を残して安定した職業に就いた人には同じく支給残日数の70%を乗じて得た額を、それぞれ支給するものとしています。さらに、再就職したときの賃金は一般に、離職したときの賃金よりも低下する傾向があるので、前の会社より賃金が下がった人には、その差額を、「就業促進定着手当」として6箇月分（支給残日数の20%が限度）を支給します。これは、再就職とそこへの定着を促進するためのものです。

 ここをチェック！　再就職手当は、自ら事業を開始した者にも支給される場合があります。

確認　受給資格者が早期の再就職を果たしたときに支給されるものは？

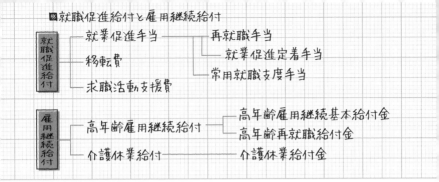

就職促進給付と雇用継続給付

就職促進給付 ─┬─ 就業促進手当 ─┬─ 再就職手当
　　　　　　　│　　　　　　　　├─ 就業促進定着手当
　　　　　　　│　　　　　　　　└─ 常用就職支度手当
　　　　　　　├─ 移転費
　　　　　　　└─ 求職活動支援費

雇用継続給付 ─┬─ 高年齢雇用継続給付 ─┬─ 高年齢雇用継続基本給付金
　　　　　　　│　　　　　　　　　　　└─ 高年齢再就職給付金
　　　　　　　└─ 介護休業給付 ─────── 介護休業給付金

雇用継続給付は2種類、その目的は？

　雇用継続給付には、高年齢雇用継続給付、介護休業給付の2種類があります。

　高年齢雇用継続給付は、60歳から65歳までの被保険者（被保険者であった期間が5年以上の者に限る）が、定年後の雇用継続や再雇用で、定年前の60歳当時と比べて賃金が75％未満に減少した場合に、賃金の減少分を一定程度補うために支給するものです。この給付を行うことにより、高齢者の就業意欲を維持・喚起して、65歳（公的年金の老齢年金の支給開始年齢）までの雇用の継続を援助、促進しようとするものです。給付額は、60歳以降に受けている低下した賃金額の10％を上限としています。

　育児・介護休業法に規定する介護休業期間中は事業主には賃金を支払う義務は規定されていないので、ふつうは賃金が支払われることはありません。そこで雇用保険法は、介護休業給付として、休業した被保険者（休業開始前の2年間に被保険者期間が通算して12箇月以上ある者に限る）に、休業期間中、休業

前の賃金の40％（当分の間は67％）に相当する額の「介護休業給付金」を支給することで、労働者の介護休業の取得を容易にするとともに、職業生活の円滑な継続を援助、促進しています。

 雇用継続給付は、雇用を継続してもらうためのものであり、求職者給付のように被保険者の生活保障を目的としたものではありません。

確認　どんな場合に雇用継続給付が支給されるの？

教育訓練給付でスキルアップ！！

長期雇用を前提に企業内で教育訓練を行い、労働者の職業能力を高めるという従来の日本的雇用慣行は変化してきています。そこで、労働者が自ら職業能力を高めようとする取り組みを支援して、雇用の安定と就職の促進を図ることを目的に設けられたのが教育訓練給付です。この教育訓練給付には、教育訓練給付金と教育訓練支援給付金の2種類があります。

(1)　教育訓練給付金

教育訓練給付金の支給対象となる厚生労働大臣が指定する教育訓練には、一般教育訓練と特定一般教育訓練、専門実践教育訓練（せんもんじっせんきょういくくんれん）の3種類があります。一般教育訓練とは語学学校での語学の習得講座などを、特定一般教育訓練とはITスキルなどキャリアアップの効果の高い講座などを、労働者が自己の能力を高めるために職場外で自主

教育訓練給付

```
教育訓練給付 ─┬─ 教育訓練給付金 ─┬─ ⓐ一般教育訓練
              │                  ├─ ⓑ特定一般教育訓練
              │                  └─ ⓒ専門実践教育訓練
              └─ 教育訓練支援給付金
```

的に受けるものです。専門実践教育訓練とは、より高度
で専門的・実践的な教育訓練で、業務独占資格・名称独
占資格（看護師、保育士、建築士等）の取得を目指すも
のなど、中長期的なキャリア形成に資するものとされて
います。

　教育訓練給付金の支給を受けるためには、まず、一般
教育訓練と特定一般教育訓練の場合には被保険者であっ
た期間が３年（過去に教育訓練を受けたことがない者に
ついては１年）、専門実践教育訓練の場合には被保険者で
あった期間が３年（過去に教育訓練を受けたことがない者
については２年）以上あることが必要です。そして一般被
保険者もしくは高年齢被保険者である間、または一般被
保険者もしくは高年齢被保険者でなくなった日から原則と
して１年以内に、教育訓練を開始し、一定の要件を満たし
ていなければなりません。

　支給額は、一般教育訓練の場合には原則として受講費
用の20%、特定一般教育訓練の場合には原則として40%に
相当する額とされており、専門実践教育訓練の場合には受

講費用の50％で、さらに資格を取得した場合など一定の要件を満たした者についてはさらに高い率に相当する額です。なお、それぞれ上限額が規定されています。

(2)　教育訓練支援給付金（令和9年3月31日までの時限措置）

　　45歳未満の離職者であって一定の要件を満たすものが、専門実践教育訓練を受けている期間中において失業している日については、生活費を支援するために基本手当の日額の60％が支給されます（基本手当が支給されている期間などには支給されません）。

| 確認 | 自らスキルアップを図ろうとする労働者を支援するための給付とは？

育児休業等給付、その目的は？

　育児・介護休業法に規定する育児休業期間中は、前述の介護休業期間中と同様に、事業主には賃金を支払う義務は規定されていません。そこで雇用保険法では、育児休業等給付として、子を養育するために休業をする被保険者に対しては育児休業給付と出生後休業支援給付、さらに休業をせずに時短で勤務する被保険者に対しては育児時短就業給付の制度を設けています（出生後休業支援給付、育児時短就業給付は令和7年4月から施行）。

　育児休業給付では、まず休業した被保険者に、休業日数が

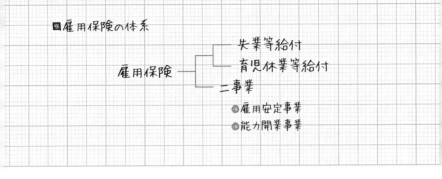

■雇用保険の体系

雇用保険
　├─ 失業等給付
　│　 育児休業等給付
　└─ 二事業
　　　◎雇用安定事業
　　　◎能力開発事業

通算して180日に達するまでの間は休業前の賃金額の67％に相当する額が、その後は休業前の賃金額の50％に相当する額が、「育児休業給付金」として支給されます。また、特に出生時育児休業（産後8週間に2回に分割して合計28日間を限度として取得できる育児休業―いわゆる「産後パパ育休」）に対応して「出生時育児休業給付金」（支給額は休業前の賃金額の67％に相当する額）が支給されます。

　出生後休業支援給付では、子の出生直後の一定期間内に被保険者とその配偶者がそれぞれ14日以上の育児休業を取得した場合に、被保険者の休業期間については28日を限度に、前述の育児休業給付に上乗せする形で、休業前の賃金額の13％に相当する額が「出生後休業支援給付金」として支給されます。

　育児時短就業給付では、2歳未満の子を養育するため休業をせずに時短勤務で働く被保険者に対して、時短により低下した賃金額の10％を上限とした額が「育児時短就業給付金」として支給されます。

　なお、上記の給付を受けるためには、いずれも原則として、休業開始前又は時短就業前の2年間に被保険者期間が通算して

12か月以上あることが必要です。

　育児休業等給付は、次世代育成支援の観点から、子を養育するために休業した、又は時短就業した労働者の雇用と生活の安定を図るための給付として、雇用保険法において、失業等給付とは異なる給付体系として明確に位置づけられたものです。

雇用保険二事業とは？

　政府は、雇用保険制度において、失業等給付や育児休業等給付のほかに、雇用保険二事業を行っています。その１つ、雇用安定事業は、失業の予防、雇用状態の是正、雇用機会の増大その他雇用の安定を図るために、雇用を維持・拡大・創出する事業主の努力を政府が支援する事業です。なかでも代表的なものとして、雇用調整助成金があります。これは、景気の変動などにより仕事が減って仕事量に比べて社員数が多すぎるようになったときにも、社員を解雇せずに、一時休業させたり職業訓練を受けさせたりして雇用を維持する事業主に、助成金を支給するものです。

　もう１つの能力開発事業は、労働者の職業能力の開発・向上を促進するために政府が行う援助事業です。たとえば、有給教育訓練休暇を与える事業主に対して、必要な助成や援助を行っています。

COLUMN 4　瞳は輝く――Ⅰ

　もう何年か前になるが、土曜日の午後、100人くらいの受講生を前に講義を始めた直後だった。笑顔の中に真剣なまなざしをもって僕の講義を聴いているひとりの女性が、僕の眼を捉えた。教室のちょうど真ん中あたりで、決して目立つ位置ではない。講義の最中に、これほどひとりの受講生の存在が意識されたのは初めてだった。講義はすでに回数を重ねていたので、まちがいなく、今日初めて出席したのだろうと思った。

　「スタートが遅かったので、DVDで、すでに終わっている講義を視聴して追いかけて、やっと教室の講義に追いついたんです。今日から、よろしくお願いします。」

　満面の笑みで、とても嬉しそうに、講義のあと、あいさつに来てくれた。

　「こちらこそ、よろしく。いっしょにがんばろうね。」

　ショートヘアの頭をぴょこんと下げて、軽い足取りで教室を出ていった。

　とてもよく勉強する女の子だった。正確な年齢は知るよしもないが、おそらく30代前半の会社員。ショートヘアに白のTシャツ、はき慣れたブルージーンズで、ボーイッシュな感じ。質問のときに持ってくる彼女のテキストには、講義の内容がきっちりと、でも乱雑に書き込まれている。

　「スゴいテキストの書き込みだね。」と言うと、

　「エッ、女の子らしくないですか?!」と言って、ちょっと頬を赤く染めてふくらます。でも、質問の中味はなかなか鋭いものだった。

労働保険徴収法

労働保険の手続を定める法律

　労災保険の保険給付も、雇用保険の失業等給付および育児休業給付も、事業主が納付する保険料を主たる財源として行われるものです。労働保険徴収法には、労災保険と雇用保険の保険料の額の算定方法や、その申告・納付手続などがまとめて規定されています。

労災保険＋雇用保険＝労働保険

　いわゆる労働保険徴収法は、正式名称を「労働保険の保険料の徴収等に関する法律」といいます（以下「徴収法」といいます）。労働保険とは、労災保険と雇用保険の総称です。

　かつて労災保険と雇用保険は、加入手続や保険料の手続についてはそれぞれの法律に規定され、別々に行われていました。しかし、これらの保険制度の適用範囲が拡大したことに伴い、それぞれの手続を一元的に（1つにまとめて）行えるように、昭和44年（1969年）に徴収法が制定され、昭和47年（1972年）から施行されています。したがってこの法律の一番の目的は、

■徴収法の狙い（意図）

労災保険料
　＋
雇用保険料
｝1つの労働保険料として徴収したい ➡ 手続の合理化・効率化

労災保険と雇用保険の保険料をまとめて1つの労働保険料として効率的に徴収することにあります。

ここをチェック！ 政府が行う労働保険事業（労災保険・雇用保険）の効率的な運営を図ることが徴収法の目的です。

労働保険の手続は「事業」ごとに！そして一元的に！

　徴収法では、事業ごとに労働保険（労災保険や雇用保険）に係る保険関係が成立し、事業ごとに労働保険の手続をすることになります。

　まずおさえておきたいのは、この「事業」とは、経営上一体をなす本店、支店、工場等を統合した1つの企業体を指すのではなく、本店、支店、工場、鉱山、建設工事現場、事務所のように、それぞれが1つの経営組織としての独立性をもった経営体を指すということです。

たとえば、支社をもたない建設会社（本社のみ）はそれ自体で1つの事業ですが、この建設会社が建設工事を請負ったとき、その工事現場もまた独立した1つの事業として取り扱うことになります。

「労働保険に係る保険関係」とは、保険事故（業務災害、複数業務要因災害もしくは通勤災害または失業など）が生じた場合、労働者または被保険者は保険者（政府）に対して保険給付を請求する権利をもち、これに対応して保険加入者（事業主）は保険者に保険料を納付する義務を負うという権利義務関係の基礎となる継続的な法律関係をいいます。そして、労災保険または雇用保険が適用される事業が開始された日に、この保険関係は法律上当然に成立するものとされています。

徴収法の眼目は、適用事業ごとに、労災保険と雇用保険の保険関係が一体となった労働保険の保険関係が成立するものとして取り扱い、保険関係の成立に関する手続（保険関係成立届）や保険料の申告・納付の手続について、両保険をまとめて一元的に処理しようとするものです。

ここをチェック！ 適用事業については、その事業が開始された日に、労災保険・雇用保険の保険関係が成立します。

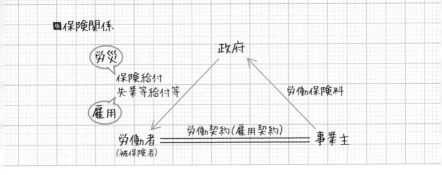

■保険関係

政府

労災 保険給付
失業等給付等

雇用

労働保険料

労働者 —— 労働契約(雇用契約) —— 事業主
(被保険者)

労働保険料の種類

労働保険料には次のものがあります。

① 一般保険料：事業主が労働者に支払う賃金の総額を基
礎として各事業ごとに算定される保険料

② 特別加入保険料：労災保険の中小事業主などの特別加
入者についての保険料

③ 印紙保険料：雇用保険の日雇労働被保険者について、
雇用保険印紙により納付する保険料

④ 特例納付保険料：事業主が雇用保険の保険関係成立届
を提出しなかったため、保険料徴収に係る2年の時効が
完成し、政府が徴収できなくなった雇用保険料を、政府
の勧奨を受けて事業主が支払う保険料

以下、労働保険料の中心となる「一般保険料」について説明
します。

確認 徴収法に規定する労働保険料にはどんなものがあるの
か？

一般保険料の額の算定は？

　一般保険料の額は、事業主がその事業に使用するすべての労働者に支払う賃金の総額（以下「賃金総額」といいます）に一般保険料率を乗じて得た額です。

　「賃金総額」とは、事業の期間が予定されない事業（これを「継続事業」といいます。ex. 一般の会社）であれば、保険年度（毎年4月1日から翌年3月31日まで）ごとに全労働者に支払う賃金の総額です。事業の期間が予定される事業〔これを「有期事業」といいます。ex.建設工事（現場）〕であれば、その事業の全期間を通して支払う賃金の総額です。

　「一般保険料率」は、通常の事業であれば労災保険率と雇用保険率を合わせた率になります。なぜなら、労働者を使用する（雇用する）事業は、労災保険も雇用保険も原則として適用され、保険関係が成立しているからです。労災保険料も雇用保険料も、賃金総額に基づいて算定されるものなので、これにより、労災保険料の額と雇用保険料の額を別個に算定する必要はなくなり、まとめて「労働保険料」の額として算定し、申告・納付することができるのです。これが徴収法の意図するところです。

ここに熱視線

なお、有期事業には雇用保険の保険関係が成立しない取り扱いとなっているので、有期事業における一般保険料率は、すなわち労災保険率となります。

■一般保険料の額の算定（原則）

賃金総額 × 一般保険料率
　　　　　　（労災保険率＋雇用保険率）

 賃金総額の「賃金」とは、労働の対償として事業主が労働者に支払うものです。

確認 一般保険料の額の算定方法や、申告・納付の手続の基本的な仕組みはどうなってる？

労災保険率、雇用保険率はどのように定められているか？

　労災保険は、そもそも各事業主の災害補償責任を保険化したものなので、その保険率は、労災発生の危険度に応じて事業の種類ごとに細分化されて規定されています。具体的には、事業の種類ごとに過去３年間の災害率などを基礎として最高1000分の88から最低1000分の2.5の間でそれぞれ定められています。

ただ、同じ業種で同じ規模の事業でも、費用をかけて業務災害防止に努め、これを最小限に抑えた事業主と、そうではなく業務災害を頻発させた事業主とで、同じ保険料を負担させるのは公平ではありませんね。そこで、事業主間の公平を図る観点から、事業所ごとに過去3年間に支払われた業務災害に関する保険給付や特別支給金の額が保険料負担に反映されるシステムが採用されています。これをメリット制といいます。たとえば継続事業の場合、労災保険率が40%の範囲内で増減されます。このメリット制は、事業主の業務災害防止努力を促す役割も果たしています。

雇用保険率は、事業の種類ごとにその事業形態などに応じて定められています。

事業の種類	雇用保険率（令和6年度）
一般の事業	1000分の15.5
農林、畜産、養蚕、水産の事業、清酒製造の事業	1000分の17.5
建設等の事業	1000分の18.5

確認 労災保険料の負担は、どんなに業務災害をおこしても変わらないの？

労働保険料の申告・納付とは？

労働保険料のうち、一般保険料と特別加入保険料については、事業主が保険料の算定の対象となる期間の初めにあらかじ

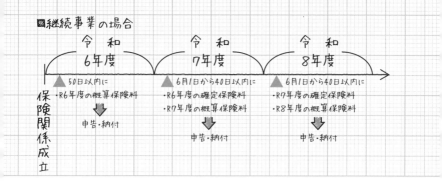

め概算額で申告・納付し、その期間の終了後に確定額で申告し、概算額と確定額の過不足を精算する仕組みをとっています。

　この最初に概算額で申告・納付する労働保険料を**概算保険料**（がいさんほけんりょう）といい、期間終了後に確定額で申告・納付する労働保険料を**確定保険料**（かくていほけんりょう）といいます。

継続事業では、前年度の確定保険料の申告は当年度の概算保険料の申告と同時に行います。これを年度更新の手続といいます。

継続事業の場合は保険年度ごとに

　継続事業の**概算保険料**の額は、原則として**保険年度ごと**にその事業で働く労働者に支払う**賃金総額の見込額**に、その事業に適用される**一般保険料率**を乗じて得た額です。そしてこの額を、その保険年度の**6月1日から40日以内**に申告・納付しなければなりません。

　継続事業の**確定保険料**の額は、原則としてその保険年度に支

払った賃金総額に、その事業に適用される一般保険料率を乗じて得た額です。そしてこの額を、次の保険年度の6月1日から40日以内に申告し、先に概算保険料として納付した額がこの額に足りなければその差額を納付しなければなりません。また、納付した概算保険料の額が確定保険料の額を超える場合には、その超える額の還付を請求することができます。

> **ここをチェック！**
> 保険年度の中途に事業を開始して保険関係が成立した事業については、保険関係が成立した日から50日以内に概算保険料の申告・納付をしなければなりません。また、事業の廃止または終了により保険関係が消滅した事業については、保険関係が消滅した日から50日以内に確定保険料の申告・納付をしなければなりません。

有期事業の場合は事業期間で

　有期事業の概算保険料の額は、保険年度とは関係なく、その事業の全期間において使用するすべての労働者に支払う賃金総額の見込額に、その事業に適用される一般保険料率（労災保険率）を乗じて得た額です。そしてこの額を、保険関係が成立した日（事業を開始した日。たとえば工事を始めた日）から20日以内に申告・納付しなければなりません。なお、請負による建設の事業のように、賃金総額を正確に算定することが困難な場合には、その算定に特例が認められています。たとえば、請負金額に、その事業の種類に応じて定められた労務費率を乗じて

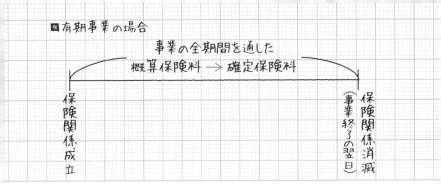

■有期事業の場合

事業の全期間を通した
概算保険料 → 確定保険料

保険関係成立

保険関係消滅（事業終了の翌日）

得た額を賃金総額とすることができます。労務費率とは、事業の種類ごとに請負金額中に占める賃金費用の一般的割合に応じて定められた率です。

　有期事業の確定保険料は、その事業の全期間に使用したすべての労働者に支払った賃金総額に、その事業に適用される一般保険料率を乗じて得た額です。そしてこの額を、保険関係が消滅した日（事業が終了した日の翌日）から50日以内に申告し、概算保険料として納付した額に不足があれば、これを納付しなければなりません。また、納付した概算保険料の額が確定保険料の額を超えた場合には、その超えた額の還付を請求することができます。

　その年の、年内最後の講義を終えた土曜日。校舎を出て、クリスマスムードに包まれた夕暮れの雑踏の中を歩いていた。目的の9階建ての大型書店にたどり着くまでに、7人ものサンタクロースと、2本足で歩く3頭のトナカイと、すれ違った。

　講義のあと、その書店の9階にある写真集のコーナーで、内外の写真作家の作品集を見るのが、当時の僕の、土曜の夕方の時間の過ごし方だった。左肩に提げたバッグから、携帯の着信のバイブレーションが微かに感じられた。人込みを離れて、シャッターの降りた銀行の前まで行き、バッグから携帯を取り出し、メールの画面を開けた。久しぶりに、彼女からのメールだった。

　「ご無沙汰しております。先生、お元気ですか。今年は、先生になんとお礼を言えばよいのか。すてきな、一生忘れられない1年となりました。先生の講義が、今もしっかり目に浮かび、耳の奥には、先生の声が響いています。ありがとうございました。今日はこれから、我が家に友人夫婦が2組来て、クリパで盛り上がる予定です。こんなクリパができるのも、先生のおかげです。先生、メリークリスマス！　そして良いお年を！」

　「どういたしまして。今度また」と、返信メールを打ちかけて、指が止まった……。

　今はどうしているのだろう。講師になってすぐの頃だった。今でもときどき、講義の最中に、ふと教室の真ん中あたりに目をやって、遠い思い出をなぞっている自分がいる。

memo

健康保険法

医療保険の目的、公的医療保険制度

　（プロローグの虫歯の例以外にも）現代の医学水準では、難しい病気にかかったり、大ケガをしたりすると、医療費が何百万円もかかってしまう場合があります。そんなとき、お金がないから治療が受けられないなんて悲しすぎますね（そんな国や地域が世界にはまだたくさんある現実はさらに悲しい）。そこで、そんなことにならないように、保険で医療費が賄（まかな）えるように、公的な医療保険制度がつくられたのです。医療保険の大きな目的の1つは、医療に係る経済的負担を軽減して誰もが必要とする医療を受けられるようにすることにあります。

　公的な医療保険制度の仕組みは大きく2つに分けられます。まずは労働者とその扶養家族を対象とした被用者保険。その典型が民間企業の労働者を対象にした「健康保険」です（公務員などは加入している共済組合が運営する医療保険制度の対象となります）。次に健康保険がその対象としていない自営業者などをカバーする「国民健康保険」です。そしてすべての国民

■公的医療保険制度

・原則75歳以上
後期高齢者医療制度

被用者保険 ←→ 国民健康保険
ex.健康保険　　　・自営業者等
・労働者とその家族

が、原則としてこれらの医療保険に加入することになっています（加入が義務づけられています）。これを国民皆保険体制といい、全国の市町村で国民健康保険制度が始まった昭和36年に実現しました。なお、いずれの制度に加入している者も、原則として75歳になると、後期高齢者医療制度に移ることになっています。

　このように、公的医療保険制度は、健康保険等の被用者保険、自営業者等を対象とした国民健康保険、および75歳以上の高齢者を対象とする後期高齢者医療制度の３本の柱からなっているのです。以下、健康保険について説明していきます（国民健康保険と後期高齢者医療制度については「一般常識」で取り上げます）。

確認　健康保険を含む日本の公的医療保険制度を頭の中に描いてみよう！

保険給付が行われる場合とは？

　健康保険は、労働者またはその被扶養者（ひふようしゃ）の業務災害以外の疾病（しっぺい）、負傷もしくは死亡または出産に関して保険給付を行うもの

とされています。「業務災害」とは労災保険法第7条第1項第1号にいう「業務災害」を指します。したがって「業務災害以外の」といっているのは、労災保険との重複を避けるためです。また、健康保険は保険給付を行うことによって労働者の医療に係る経済的負担の軽減を図ることが目的ですから、その扶養家族（「被扶養者」といいます。あとで説明します）が医療を受けたときにもその費用を負担するのは労働者なので、被扶養者の疾病などについても、労働者に対して保険給付を行うこととしています。そして、これらの保険給付を行うことで医療に係る経済的負担を軽減して「国民の生活の安定」に寄与することを健康保険法は目的としているのです（法1条）。

　保険給付の対象となる「負傷」「疾病」とは、精神または肉体の異常な状態であり、一般に医師が療養の必要があると認めるものでなければなりません。単なる疲労や倦怠、健康診断、美容目的だけの整形手術は、保険給付の対象とはなりません。

　「死亡」や「出産」に関しても、一時的な経済的負担（葬式代、出産費用）の軽減を図る目的から、保険給付が行われます。なお、対象となる出産は、妊娠4箇月以上、つまり妊娠4箇月目に入ってからの出産をいい、生産、死産、流産（人工流産を含む）、早産等を問いません。

 通勤災害、複数業務要因災害は「業務災害」ではありませんが、労災保険の対象となっているので、健康保険では原則として対象としません。

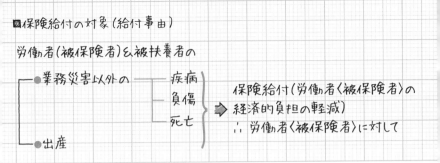

■保険給付の対象(給付事由)

労働者(被保険者)&被扶養者の

```
┌─ ●業務災害以外の ── 疾病        保険給付(労働者〈被保険者〉の
│                     負傷   ⇒ 経済的負担の軽減)
│                     死亡  }    ∵労働者〈被保険者〉に対して
└─ ●出産
```

確認 労災保険との給付事由のちがいは?

健康保険事業の運営主体は?

　保険事業を運営するためにその財源となる保険料を徴収した
り、保険給付を行ったりする運営主体のことを「保険者」とい
いますが、健康保険の保険者は「全国健康保険協会」（以下「協
会」といいます）と「健康保険組合」で、対象となる被保険者
（後述します）が異なります。

　協会は、勤め先が中小企業などで後述する健康保険組合がつ
くられていない人に対して健康保険事業を行うために、平成20
年10月に設立された公法人で、それまで政府が行っていたもの
を引き継ぎました。

　健康保険組合は、一般には大企業などがその従業員を組合員
として独自に健康保険事業を行うもので、その設立には、厚生
労働大臣の認可が必要です。なお、中小企業が共同して１つの
健康保険組合を設立することもできます。健康保険組合は協会
よりも保険料が安く、保険給付の内容も手厚いのが一般的で
す。

健康保険組合は、大企業が単独で設立したり、中小企業が共同で設立したりするものです。

確認　健康保険事業の運営主体は？

まず「適用事業所」ありき、そして被保険者

健康保険は事業所を単位として適用されます。健康保険の適用を受ける事業所を適用事業所といい、この適用事業所に使用される者は、原則として、被保険者となります。

適用事業所には、法律によって強制的に適用を受ける強制適用事業所（法人の事業所など）と、任意に適用を受ける任意適用事業所（個人経営で従業員が５人未満の一定の事業所など）があります。一般の会社（法人の事業）は、労働者を１人でも使用していれば強制適用事業所となります（したがって労働者は１人でも被保険者として扱われます）。任意適用事業所は、事業主が労働者の２分の１以上の同意を得たうえで申請し、厚生労働大臣の認可を受けることで、適用事業所となることができます。

健康保険法も、常用的使用関係にある者を典型的な被保険者として想定しているので、臨時に使用される者や使用期間の短い者は、適用事業所に使用される者であっても原則として被保険者としません。なお、「使用される者」とは、事業主との間

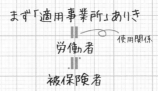

■適用事業所・被保険者

まず「適用事業所」ありき
＝
労働者　　使用関係
＝
被保険者

に事実上の「使用」関係（従業員が事実上労務を提供し、これに対して事業主が報酬を支払う関係）があれば足り、法律上の雇用関係の存在まで必要とするものではないと理解されています（社長や役員であっても被保険者になり得ます。次に説明します）。

確認　健康保険の被保険者となる者とは？

健康保険や厚生年金保険の被保険者は

　会社等の法人の理事や代表社員など法人の代表者または業務執行者は、労災保険の適用労働者や雇用保険の被保険者となることはありませんが、健康保険や厚生年金保険の被保険者になることがあります。労災保険や雇用保険の給付事由である業務災害や失業は、その前提において使用従属関係や雇用関係がなくてはなりませんが、健康保険の給付事由である業務災害以外の疾病や負傷、死亡または出産、厚生年金保険の給付事由である老齢や障害、死亡に至る原因には、これらの関係は必ずしも必要ありません。そこで健康保険や厚生年金保険では、使用従属関係や雇用関係にない法人の代表者などであっても、その法

人から労働の対償として報酬を受けている場合には、その法人に使用される者として被保険者となるのです。

> **ここをチェック!** 健康保険で被保険者・被扶養者とされない者は、原則として、国民健康保険に加入することになります（国民皆保険）。

被扶養者になる？　ならない？
それが（試験）問題だ!?

　被保険者の家族が健康保険法上の「被扶養者」に該当すれば、その者について行われた医療などに要した費用について、被保険者は保険給付を受けることができて経済的負担が軽減されます。健康保険法では被扶養者となる者の範囲について次のように規定しています。原則として国内に住所を有している者で、以下のうち、いずれかにあてはまれば被扶養者です。

(1)　主として被保険者により生計を維持している被保険者の――

①　直系尊属（父母、祖父母など）

②　配偶者（内縁関係を含む）

③　子（実子又は養子）

④　孫

⑤　兄弟姉妹

(2)　主として被保険者により生計を維持していて、さらに被保険者と同一世帯に属している被保険者の――

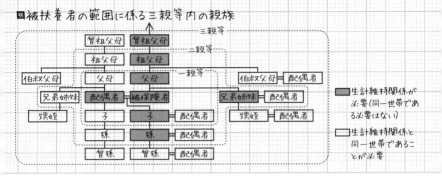

図 被扶養者の範囲に係る三親等内の親族

① 三親等内の親族（(1)に該当する者は除く）…三親等内の血族及び三親等内の姻族

② 内縁関係にある配偶者の父母及び子

③ 内縁関係にある配偶者の死亡後におけるその父母及び子

(2)は、(1)より対象者がひろがっていますが、「同一世帯に属している」（同じ屋根の下に住んでいる場合が典型）という要件が追加されています。たとえば、夫を被保険者とした場合、妻の連れ子で、夫との間で生計維持関係はあってもまだ養子縁組をしていなければ、(1)の③の「子」には該当しませんが、三親等内の親族には該当する（姻族一親等）ので、同一世帯に属していれば(2)の①に該当し被扶養者とされます。「姻族」とは、配偶者の血族および血族の配偶者をいいます。本試験では生計維持関係と同一世帯にあることを前提に、伯(叔)父、従兄弟、甥などが被扶養者になるかどうかといった問題が出ることがあります〔伯(叔)父と甥は三親等内の親族なのでマル、従兄弟は四親等の親族なのでバツ〕。

なお、「生計維持関係」が認められるための要件としては、

原則として、まずその者の年間収入が130万円未満で被保険者の年間収入の2分の1未満であることとされています。

 夫婦共働きで共同して扶養する子については、年間収入の多い方の被扶養者とするのが原則です。

確認　被扶養者とされる者の範囲は？

保険料は被保険者ごとに標準報酬を基礎に算定

　健康保険では、個々の被保険者ごとに、事業主から受ける報酬の額および賞与の額をもとにして、月単位で保険料を算定し、これを事業主と被保険者が折半で負担して、事業主が自分の負担する分と被保険者の負担する分を併せて納付します（一般に、被保険者負担分は給与から天引きされています）。なお、子育て支援を目的として、育児休業等期間中や産前産後休業期間中の保険料免除制度が設けられています（厚生年金保険にもあります）。

　各被保険者が実際に受ける報酬はその支払の形態も額もまちまちであり、各被保険者が毎月実際に受ける報酬をそのまま保険料算定の基礎とするのは事務処理上困難です。そこで「標準報酬月額」を用いることにしています。これは、あらかじめ計算のしやすい仮定的な報酬を等級（1級［58,000円］から50級

■保険給付

　　　現物給付（医療給付）；ex. 療養の給付
　　　　　　　　　　　　　　　　　家族療養費

　　　現金給付；ex. 傷病手当金
　　　　　　　　出産育児一時金
　　　　　　　　家族出産育児一時金

　[1,390,000円]）ごとに区分して標準報酬月額とし、これに各被保険者の報酬をあてはめ、その被保険者の標準報酬月額とするものです。実際の報酬額とは若干の相違があっても、その標準報酬月額を原則として１年間固定し、これを基礎にその被保険者の保険料を計算します。

　標準報酬月額の決定は、入社して被保険者の資格を取得したときに行われる資格取得時決定と、その後毎年１回定期的に見直しを行う定時決定があります。なお、定時決定前に報酬額が大幅に（２等級以上）変動したときはその時点で随時改定が行われることがあります。また産前産後休業終了後または育児休業終了後の報酬が、育児のために勤務時間を短縮することなどにより１等級でも下がったときもその時点で、産前産後休業終了時改定、育児休業等終了時改定が行われることがあります。

確認　保険料はどのように算定する？

ここをチェック！　賞与（ボーナスなど3箇月を超える期間ごとに受けるもの）も「標準賞与額」として保険料算定の対象となります。

保険給付の種類

　健康保険が行う保険給付の種類としては、被保険者に関するものと被扶養者に関するものと大きく2つに分けられます。また、現物で行う現物給付と、現金で行う現金給付に分けられます。以下、主な保険給付について簡単に説明していきます。

保険給付の中心は「療養の給付」

　被保険者が病気やケガをして、健康保険を取り扱っている病院など（保険医療機関等といいます）に行って被保険者証等を提示して診療を受けたときは、「一部負担金」を支払えば、残りの費用は健康保険制度が賄います。これが療養の給付です。療養の給付はもともと10割給付で自己負担を伴わなかったのですが、昭和59年に1割を自己負担とする一部負担金が導入され、この一部負担金が平成9年に2割となり、平成15年に3割となって現在に至っています。ただし、70歳以上の被保険者については、一定の場合を除いて、2割の負担となっています（現役世代並みの一定以上の所得があれば3割負担）。

■一部負担金の負担割合

被保険者の区分	負担割合
70歳未満	3割
70歳以上の一般	2割
70歳以上の現役並み所得者	3割

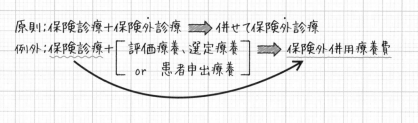

■保険外併用療養費

原則：保険診療＋保険外診療 ⟹ 併せて保険外診療

例外：保険診療＋[評価療養、選定療養 or 患者申出療養] ⟹ 保険外併用療養費

　なお、入院中に療養の給付と併せて受けた食事療養に要した費用については、その一部を食事代として被保険者が定額で負担し（この負担する額を食事療養標準負担額といいます）、その残りの費用が入院時食事療養費という保険給付で賄われます。食事療養といえども一般の食事代に相当する部分は、医療保険の対象にはなじまないという考え方から定額で負担させることにしたのです。

> **ここをチェック！** 療養の給付は、被保険者である期間中に行われる医療が対象なので、被保険者の資格取得が適正であれば、その資格取得前からの疾病や負傷についても被保険者である期間中に行われる医療は対象となります。

保険外併用療養費？！

　健康保険で認められている治療法（保険診療）と、認められていない治療法（保険外診療＝自由診療）とを併用する診療のことを、混合診療といいます。被保険者が保険医療機関等で、健康保険の対象になる保険診療と対象にならない保険外診療を

併せて受けたときは、全体で保険外診療となり、保険給付は行われない（混合診療を認めない）のが原則です。しかし、それ自体が保険外診療である「評価療養」（高度の医療技術を用いた療養などで厚生労働大臣が定める療養）や「選定療養」（特別の病室の提供などで厚生労働大臣が定める療養）、「患者申出療養」（高度の医療技術を用いた療養であって本人の申出に基づき厚生労働大臣が定める療養）と、保険診療の対象となる療養を併せて受けたときは、例外として、保険診療に相当する部分の保険給付が行われます。つまり、混合診療を認めるのです。これが保険外併用療養費制度です。

ここに
熱視線

混合診療については議論のあるところです。「必要で適切な医療は基本的に保険診療により確保するという国民皆保険の基本理念はしっかり守り、混合診療の拡大による患者の保険外負担の増大や保険診療の水準低下は避ける必要がある。そのうえで、混合診療の禁止がかえって結果的に患者の経済的負担を過大にしているような例外的なケースについては、ルールを明確にして容認していくことが適切だろう。」（椋野美智子・田中耕太郎著『はじめての社会保障　第19版』（有斐閣アルマ、2022年）より引用）という考え方を、ここでは挙げておきます。

家族療養費

被扶養者が
- 療養の給付
- 入院時食事療養費
- 入院時生活療養費
- 保険外併用療養費
- 療養費

に相当する給付を受けた ⇒ 被保険者に「家族療養費」として支給

被扶養者の療養に関する保険給付はまとめて「家族療養費（かぞくりょうようひ）」！！

　被保険者についてなされる場合は、「療養の給付」や「入院時食事療養費」「入院時生活療養費」「保険外併用療養費」「療養費」と、それぞれ異なる保険給付として扱われるものが、同じ内容の保険給付が被扶養者についてなされる場合は、「家族療養費」という1つの保険給付として扱われます。

　家族療養費の額は、もともとは療養に要した費用の5割でしたが、昭和48年に7割、つまり自己負担は3割とされ、現在に至っています。なお、被扶養者が小学校に入る前であったり、70歳以上であるときは、8割給付とされています。ただし、被扶養者が70歳以上であってもその被保険者が70歳以上の現役並み所得者である場合は、7割給付です。

ここをチェック！

「家族療養費」は、健康保険の保険給付の目的（110ページ参照）から被保険者に対して支給される点に注意！！

自己負担額が高額になったときは？

　長期の療養や入院、高度の手術などで医療費が高額になったときは、3割負担の療養の給付などを受けても、結果的にはかなり高額の自己負担となる場合があります。このように定率負担を求める保険給付の最大の難点は、医療費が高額になると、それにつれて一部負担金などの自己負担額も高額になることです。そこで被保険者の経済的負担を軽減するために、被保険者が原則として1月間に受けた保険診療で支払った一部負担金などの自己負担額が一定額を超えた場合には、被保険者の請求などにより、その超えた分を払い戻すという扱いをしています。これが高額療養費という制度です。

> 高額療養費の対象は、上記のように医療に係る保険診療の自己負担額ですから、「食事療養標準負担額」や「生活療養標準負担額」（いわば食費や光熱水費）、「評価療養」や「選定療養」「患者申出療養」（いずれも保険外診療）は、その対象とはなりません。

確認　高額療養費制度の目的は？

休業中の生活保障——傷病手当金

　たとえばケガや病気の療養で入院することになり、会社を休むことになって一時的に無収入になったり、減収になったりし

高額療養費

同一の月（1暦月）において

一部負担金等
の自己負担額 ＞ 自己負担限度額

⬇

差額＝「高額療養費」として支給

た場合には、これをある程度補って生活の安定を損ねないようにすることが療養上からも必要です。このいわば生活保障を目的に行うのが傷病手当金という保険給付です。傷病手当金は、①療養のため、②労務に服することができないときに、③第4日目から（継続した3日の待期経過後）支給されます。つまり会社を休み始めて4日目から支給される現金給付です。最初の3日の待期は虚病防止の観点から設けられたものなので、有給休暇をあてても完成します。支給額は1日単位で、原則として、傷病手当金の支給を始める日の属する月以前の直近の継続した12月間の各月のその被保険者の標準報酬月額を平均した額の30分の1に相当する額の3分の2に相当する額です。支給期間は、支給を始めた日から通算して1年6月間とされています。

傷病手当金は、生活保障を目的とするものなので、報酬を受けることができる期間は、原則として支給されません。

確認 療養の給付などの現物給付のほかに、生活保障を目的として、現金で支給される保険給付は？

出産費用の負担軽減
——出産育児一時金

出産に要する費用の負担軽減を目的に、被保険者が出産したときは出産育児一時金が、被扶養者が出産したときは家族出産育児一時金が、被保険者に支給されます。支給額はいずれも、産科医療補償制度に加入する医療機関等による医学的管理の下における出産であるときは、最大で50万円が支給されます（胎児数に応じて額は変わります）。

ここをチェック！　産科医療補償制度とは、分娩に関連して発症した重度脳性麻痺児に対する補償の機能をもつ制度です。

休業中の生活保障——出産手当金

労働基準法では、母体保護の観点から産前6週間は労働者本人の請求により、産後8週間は請求の有無を問わず休業させなければならないと規定しています。しかし、この休業期間中は使用者に賃金の支払は義務づけていません。そこで健康保険がこの休業期間中の生活保障を行う目的で、出産手当金を支給します。出産手当金は、①出産の日以前42日（多胎妊娠の場合は98日）から出産の日後56日までの間において、②労務に服さなかった期間について1日単位で支給されます。支給額は、傷病

■出産育児一時金（家族出産育児一時金）

妊娠4月以上の出産 ➡ 出産育児一時金
（家族出産育児一時金）

↑ 生産、死産、早産、流産
いずれかを問わず

cf.妊娠4月未満の出産 ➡ 療養の給付のみの対象

手当金と同じように算定されます。

ここをチェック! 出産手当金も生活保障を目的とするものなので報酬を受けることができる期間は、原則として支給されません。

お葬式代──埋葬料、家族埋葬料
（まいそうりょう、かぞくまいそうりょう）

　被保険者が業務災害以外で死亡した場合には、その被保険者により生計を維持していた者で埋葬を行うものに対して、埋葬料が支給されます。また、被扶養者が死亡したときは、被保険者に対して家族埋葬料が支給されます。いずれも支給額は5万円で、埋葬費用の負担をある程度軽減させようとするものです。

ここをチェック! 埋葬料を受けるべき者がいないときは、実際に埋葬を行った者（知人や近隣者など）に対し、埋葬料の金額の範囲内で実費が支給されます。

確認 各保険給付の支給要件や給付内容を確認しよう！

COLUMN6　缶ビールはやめられない

　僕は決して、優等生的な受講生ではなかった。当初は、「新しい勉強を始めるんだ」というワクワク感で、毎回の授業の予習と復習をしっかりやっていた。それが、授業の回数を重ねるごとに、そのワクワク感もだんだん薄らいでいき、仕事にかまけて予習・復習もやったりやらなかったり、授業中に意識が飛んだりと、典型的な脱落コースへと向かいはじめた。しかし、それでもなんとか踏み止まったのは、「今のままの仕事や生活では、先行きなんの望みも見出せないかもしれない」という脅迫観念が常に頭の片隅にあったからだ。

　授業には必ず出席した。定期テストは必ず受けた。点数は惨憺たるものだったが、それがかえっておのれの現実を知らしめることになって、受験生生活後半戦の、特に直前期の起爆剤となったような気がする。

　あらためて振り返ってみると、受験生として本当に覚醒したのは、本試験前の2カ月間くらいだったと思う。われながら、本当によく勉強した。退社後は通っていた学校の自習室へ直行。自習室がいっぱいで席が取れなければ受付前のテーブルで注意されるまでテキストを広げていた。残業で自習室での勉強時間が20分くらいしかなくても必ず行った。少しでもきっかけをつくっておけば、家に帰ってからスムーズに勉強に入れるようにだ。直前1カ月間は、空が白み、鳥のさえずりを聞きながら床に入るのが常であった。それでも、帰宅後風呂に入った後の、勉強を始める前の缶ビールはやめられなかった。

memo

年金制度の概要

　はじめに、年金制度の概要について触れ、それから国民年金法、厚生年金保険法について説明していきます。

年金制度とは？

　年金制度とは、働ける人たちが保険料を納め、それをもとに高齢や障害で働けなくなった人、一家の大黒柱を亡くした遺族などが年金を受給する仕組みです。老齢、障害、死亡という事由により長期間にわたって生活費を得られなくなったときの生活保障を行うには、まとまった金額を一度に支給する一時金よりも、年単位で必要な額を必要な期間支給する年金の方が合理的です。上記の事由が生じたときに、年金を支給することで「生活の安定」を図ることを目的として制定されたものが国民年金法と厚生年金保険法です（国年法１条・厚年法１条）。

現在の年金制度に至る経緯

　日本における最初の年金制度としては、対象を工場等で働く男子労働者に限定して、購買力の吸収や戦費調達の意味合いをもつ「労働者年金保険法」が昭和16年（1941年）に制定されま

■年金制度とは？

◎老齢 ┐ 長期にわたって　　　　◎老齢年金 ┐ 生活保障
◎障害 ├ 生活費を得られなく ⟹ 年金で ◎障害年金 ├（生活の安定）
◎死亡 ┘ なったとき　　　　　　◎遺族年金 ┘ を図る

　年単位で一定額を必要な期間定期的に支給

した〔施行は昭和17年（1942年）〕。そして昭和19年（1944年）に、雇用構造の変化に対処するためにこれが廃止され、女性労働者および一般職員も対象とする被用者年金制度（ひようしゃねんきんせいど）として、新たに「厚生年金保険法」が制定されました。

　被用者（会社などに雇われている者）以外の者、すなわち農林水産業などに従事する自営業者を対象とする年金制度は、昭和34年（1959年）に「国民年金法」として制定施行されました。これは、保険料の納付を要しない無拠出制（むきょしゅつせい）の福祉年金（ふくしねんきん）でしたが、昭和36年（1961年）には保険料の納付を前提とする拠出制の年金制度が始まりました。ここに至って、すべての国民（被用者も被用者以外も）がいずれかの公的年金制度に加入するという国民皆年金体制（こくみんかいねんきんたいせい）が整いました。

　その後、会社員などは厚生年金保険、自営業者等は国民年金というように二分された制度体制のままでは、産業構造が変わってその制度の加入者の数が減少すれば、ひとりひとりの負担が過重になって制度の維持が困難になったり、加入する制度により年金給付や保険料負担に不公平が生じるおそれがあることが問題となりました。そこで財政の安定のためにも、国民の

間での負担の公平のためにも、公的年金はできるだけ一元化した方が望ましいということで、昭和60年に年金制度の抜本的な大改正が行われました。

　まず、被用者も含めてすべての国民を国民年金の対象として、この国民年金から全国民共通の定額の「基礎年金」を支給することにしました。これに伴い、厚生年金保険制度から国民年金制度に一定の割合で基礎年金拠出金を納めさせることとし、国民年金の財政を安定させました。厚生年金保険は、対象はこれまで通り民間企業の労働者としながらも、年金給付の内容が変わりました。これまでの給付内容は定額部分と報酬比例部分から構成されていましたが、定額部分は国民年金から「基礎年金」が支給されることになったので、厚生年金保険からはこの「基礎年金」に上乗せする「報酬比例の年金」だけが支給されることになりました。国民年金から支給される「基礎年金」と厚生年金保険から支給される「報酬比例の年金」を合わせて、２階建ての年金といったりします。一般に、昭和60年改正前の年金法を「旧法」、改正以後の年金法を「新法」と呼んでいます。そして、平成27年10月からは、公務員などが加入している共済組合や私立学校教職員の共済組合の年金制度が、厚生年金保険制度に吸収合併されました（被用者年金制度の一元化）。

　現在の年金制度は、新法を土台としていく度かの改正が施されたものです。なお、国民年金制度も厚生年金保険制度も、政府が管掌しています。

年金制度の概要

労働者対象

S17　労働者年金保険法

⬇

S19　厚生年金保険法 · · · · · · · · · · · ·

 （年金構成）

報酬比例
定　額

労働者以外を対象

S34　国民年金法（無拠出制）

⬇

S36　国民年金法（拠出制）
　　　国民皆年金体制 · · · · · · · · · · ·

（年金構成）

定　額

└──→ ここまでが旧法

S60　大改正（S61.4施行）──────── ここから新法 ─┐

(新)国民年金法

全国民対象 · · · · · · · · · · · · · · ·

（年金構成）

定　額

↖ 全国民共通の基礎年金

(新)厚生年金保険法

労働者対象 · · · · · · · · · · · · · · ·

 （年金構成）

報酬比例

↙

⬇

H27　被用者年金制度の一元化

※定額部分が設けられた
　のは、S29改正から

国民年金法

国民年金の被保険者とは？

　国民年金の対象者すなわち「被保険者」は133ページの図のように定められています。

　第1号被保険者には、日本国内に住所を有している20歳以上60歳未満の者であって、次の第2号被保険者や第3号被保険者に該当しないものが該当します。自営業者はもちろん、大学生やフリーター、そして無職の人も対象となります。ただし、かつて労働者として厚生年金保険に入っていたことなどにより老齢厚生年金等の受給権を有する者など一定のものは除かれます。

　第2号被保険者には、民間企業に勤める者や公務員などの厚生年金保険に加入している者が該当します（第2号被保険者は、同時に厚生年金保険の被保険者でもあるわけです）。ただし、65歳以上の者にあっては、老齢厚生年金等の受給権を有しない者に限ります（65歳以上の老齢厚生年金等の受給権者は第2号被保険者から除かれます）。

　第3号被保険者には、第2号被保険者に扶養されている配偶

◙被保険者の種類

```
                            ┌─ 第1号被保険者
          ┌─ 強制加入被保険者 ─┼─ 第2号被保険者
被保険者 ─┤                    └─ 第3号被保険者
          └─ 任意加入被保険者
```

者（専業主婦である会社員の妻などで、原則として国内に住所を有している者）であって20歳以上60歳未満の者が該当します。

　これらの者は、本人の意思に関係なく当然に被保険者となる強制加入被保険者です。この強制加入被保険者に該当しない者でも、一定の要件に該当すれば厚生労働大臣に申し出ることによって被保険者となることができます。この申出によって被保険者となった者を任意加入被保険者といいます。たとえば、60歳に達したことによって第1号被保険者の資格を喪失した者が、その時点で老齢基礎年金の受給資格期間（後述）を満たしていないときに、これを満たすために任意加入被保険者となることができます。

　なお、国民年金の被保険者期間は、月を単位として計算されます。被保険者の資格を取得した日の属する月から、その資格を喪失した日の属する月の前月までが被保険者期間となります。第1号被保険者を例にとれば、たとえば4月1日生まれの人は3月31日に20歳になる（法律上は原則として誕生日の前日に歳をとることになっています！）ので3月31日に資格を取得

し、同じく3月31日に60歳になるので3月31日に資格を喪失します。したがって被保険者期間は、法律上20歳になる3月から同じく60歳になる3月の前月の2月までの480月（12箇月×40年）となります。

| 確認 | 国民年金の強制加入被保険者とは？

> **ここをチェック!** 第1号被保険者および第3号被保険者については、その資格の取得・喪失等に関する事項について所定の届出をしなければなりません。第2号被保険者については、同時に加入している厚生年金保険制度の中で、その資格の取得・喪失等に係る手続が行われます。

保険料の納付について
——基礎年金拠出金？

国民年金の保険料は、所得などに関係なく月額定額制（令和6年度は16,980円、令和7年度は17,510円）で、被保険者期間の計算の基礎となる各月につき納付することになります。納期限は翌月末日です。将来の一定期間の保険料をまとめて前納することもできます。ただ、実際にこの保険料を納付するのは第1号被保険者と任意加入被保険者だけです。第2号被保険者と第3号被保険者については、第2号被保険者が厚生年金保険制度において納付した厚生年金保険料の一部が、国民年金の給付（基礎年金）に充てるための費用として国民年金制度に回され

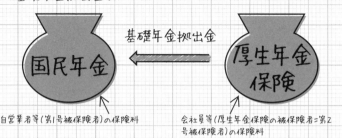

■ 基礎年金拠出金？

基礎年金拠出金

国民年金 ← 厚生年金保険

自営業者等(第1号被保険者)の保険料　会社員等(厚生年金保険の被保険者=第2号被保険者)の保険料

る〔これに充てられるものが「基礎年金拠出金」（130ページ参照）です〕ので、あらためて国民年金の保険料を納付する必要がないのです。いわば間接的に国民年金の保険料を納付しているわけです。なお、第3号被保険者は厚生年金保険制度に加入しているわけではないので保険料を払っていませんが、配偶者である第2号被保険者が納付している厚生年金保険料をもって納付しているものとみなします。

　ここで、試験対策上はもちろんのこと、実務上も見落としがちな注意点を指摘しておきます。たとえば、厚生年金保険の被保険者である夫が65歳になって老齢厚生年金等の受給権を有すると、国民年金の第2号被保険者からはずれることになっていますね（132ページ参照）。そうすると、それまで第2号被保険者である夫によって扶養されていることで第3号被保険者となっていた妻は、第3号被保険者の資格を失うことになり、原則として60歳になるまでの間、第1号被保険者となります。つまり国民年金の保険料を納付する義務を負うことになるんですね。

　なお、第1号被保険者と任意加入被保険者は、老齢基礎年金の上乗せの年金として付加年金（支給額は200円×納付済月数）

を受給することを目的として、付加保険料（月額400円）を納付することができます。

 口座振替による納付や前納には、保険料額の一定の割引制度があります。

確認 保険料を払わなくていい被保険者とは？

免除制度、いろいろ

国民年金の保険料を納付しなければならない第1号被保険者の中には、所得が低いなどの理由で納付することが事実上困難な人もいます。そこで国民年金制度では保険料の免除制度が設けられています。つまり、これらの人を制度の対象からはずすことなく、保険料を免除することでその被保険者資格を維持させて、国民年金制度内にとどめておきます。一般に年金制度は、現役世代において一定期間、被保険者として制度に加入していたという実績を前提に、老後の生活保障として年金を支給するものです。適用除外として年金制度の外に追いやってしまうと、老後は無年金になってしまうわけです。

免除制度には、主に次の2つのケースがあります。

① 被保険者が障害基礎年金の受給権者である場合など、一定の要件に該当するときは法律上当然に保険料の全部が免除される法定免除

② 所得が一定額以下の者などが厚生労働大臣に申請する

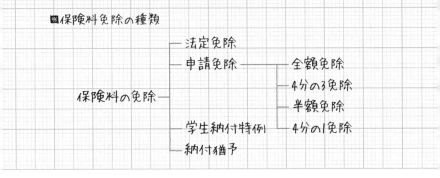

保険料免除の種類

```
                    ─ 法定免除
                    ─ 申請免除 ─────── 全額免除
                                       ─ 4分の3免除
   保険料の免除 ─                      ─ 半額免除
                                       ─ 4分の1免除
                    ─ 学生納付特例
                    ─ 納付猶予
```

ことにより、保険料の全部または一部が免除される**申請免除**（しんせい）（めんじょ）

　また、学生等で第１号被保険者となっている場合、本人の所得が一定額以下のときには申請によって保険料を免除する**学生納付特例**（がくせい）（のう ふ とくれい）もあります。これは、卒業後、就職してからの**追納**（ついのう）（後述）を期待した免除制度です。

　上記のほかに、暫定的な免除制度として、**50歳未満の者に対する納付猶予**があります。これは、全年齢層において**非正規労働者が増加している現状**をふまえて、厚生年金保険に加入できない者が国民年金の保険料を滞納して将来年金が受給できなくなるという問題を緩和するための制度です。

確認　保険料が払えないときは？

そして追納制度

　保険料の**免除**を受けた期間があれば、老後の年金は当然その期間分**減額**されます。そこで、後日資力を回復し、あるいは有するに至ったときは、厚生労働大臣の承認を受けて**過去10年以内の免除期間**について後から追って納付する「**追納**」を認めて

います。これにより、免除期間は保険料納付済期間となり、年金の減額を減らし、定額（満額）に近づけることができます。

> **ここをチェック!** 追納する額は、原則として、免除を受けた当時の保険料の額に一定の額を加算した額となります。

　なお、子育て支援を目的とした産前産後期間（出産予定日の前月から4箇月間）に係る保険料免除制度も設けられています。この免除期間は、その目的から追納することなく保険料納付済期間とされ、老齢基礎年金の額が算定されます。また付加保険料を納付することもできます（他の免除期間は付加保険料を納付することができません）。

給付の種類と年金の支給期間

　国民年金の給付には、まず全国民（第1号被保険者、第2号被保険者、第3号被保険者）共通の基礎年金があります。それと、第1号被保険者としての被保険者期間に基づいてのみ支給される給付（独自給付）があります。独自給付の1つ「寡婦年金」は、第1号被保険者期間に基づいて老齢基礎年金の受給資格期間（後述します）を満たした夫が老齢基礎年金など何ら国民年金の給付を受けることなく死亡した場合に、保険料の掛け捨て防止と高齢寡婦の所得保障という観点から設けられた給付です。亡くなった夫の妻（寡婦）に、60歳から、老齢基礎年金

■年金の支給期間

支給すべき事由が生じた日
（受給権発生日）の属する
月の翌月　⟹　その月から支給開始

⟱

その権利が消滅した日の
属する月　⟹　その月をもって支給終了

の支給が受けられるようになる65歳までの間、年金として所定の額が支給されます。これもまた独自給付の１つである「死亡一時金」も、同様に、掛け捨て防止という観点から一定の遺族に所定の額が一時金として支給されるものです。付加年金も独自給付の１つですが、これについては説明しました（135ページ参照）。なお、短期在留外国人の保険料の掛け捨てに配慮した「脱退一時金」という制度もあります。

支給事由	基礎年金	独自給付
老　齢	老齢基礎年金	付加年金
障　害	障害基礎年金	―
死　亡	遺族基礎年金	寡婦年金 死亡一時金

　年金給付の支給は、これを支給すべき事由が生じた日、すなわち受給権発生日の属する月の翌月から始め、その権利が消滅した日の属する月で終わるものとされています。また年金給付は原則として、毎年２月、４月、６月、８月、10月、および12月の６期に分けて、それぞれの前月までの分が支払われます。たとえば支払期月の８月に、６月分と７月分が併せて支払われま

す。

　以下、国民年金の中核となる給付、全国民共通の基礎年金に
ついて説明します。

老齢に関する給付

老後の生活を支える老齢基礎年金の支給要件
——受給資格期間10年以上?!

　老齢基礎年金は、「保険料納付済期間」または「保険料免除
期間」を有する者が65歳に達したときに支給されます（受給権
が発生します）。ただし、「保険料納付済期間」と「保険料免除
期間」とを合算した期間が10年（「受給資格期間」といいます）
に満たない場合は支給されません。なお、特例として、保険料
納付済期間と保険料免除期間とを併せて10年に満たなくても、
「合算対象期間」を併せて10年以上あれば老齢基礎年金は支給
されます。

　まず「保険料納付済期間」とは、第1号被保険者又は任意加
入被保険者にあっては実際に保険料の全額を納付した期間と前
述の産前産後期間に係る保険料免除の期間であり、第2号被保

老齢基礎年金の支給要件

受給資格期間（10年）
＋
65歳
↓
受給権発生

険者にあってはその20歳以上60歳未満の期間、第3号被保険者にあってはその期間のすべてが、保険料納付済期間として扱われます。次に「保険料免除期間」とは、前に述べた第1号被保険者の免除期間のことです。なお、「保険料免除期間」について追納が行われたときは「保険料納付済期間」となります。そして「合算対象期間」とは、たとえば強制加入とはされていないが任意加入できる期間であって、任意加入していなかった期間などで、受給資格期間には算入されますが、老齢基礎年金の額の計算の基礎には算入されない期間です。

原則として、保険料納付済期間と保険料免除期間とを合算した期間が10年に満たないときは、老齢基礎年金は支給されません。

老齢基礎年金は定額、しかし…

老齢基礎年金の額は、定額で〝780,900円×改定率〟です（「改定率」は、その時どきの賃金や物価の変動率に応じて改定されます）。ただし、これは20歳から60歳までの国民年金の被保険

者期間40年（480月）のすべてが保険料納付済期間である場合の満額です。保険料免除期間がある場合など保険料納付済期間が40年（480月）に満たないときは、比例的に減額されます。

> **ここをチェック!** 老齢基礎年金の受給権自体は、少なくとも受給資格期間（10年）を満たせば65歳に達したときに発生しますが、これと満額の年金が支給されることとは別の話です。

　なお、昭和41年4月1日以前に生まれた者であって、国民年金の制度上の理由で保険料納付済期間が480月に足りず満額の老齢基礎年金を受けられない者などを対象に、老齢基礎年金に振替加算額が加算されることがあります。これは、老齢基礎年金の受給権者の配偶者が受けている老齢厚生年金や障害厚生年金の額に、その配偶者（つまり老齢基礎年金の受給権者）を対象とした加給年金額（厚生年金保険で説明します）が加算されているときに、それに基づいて行われるものです。

確認　老齢基礎年金の支給要件と支給額は？

支給開始は65歳、ただし繰上げ、繰下げあり

　老齢基礎年金は、原則として受給権が発生する65歳から支給が開始されますが（正確には65歳に達した日の属する月の翌月から支給開始）、本人の希望により支給開始を65歳より前に繰り上げたり、逆に66歳以降に繰り下げたりすることができる場

■老齢基礎年金の年金額

$$(780{,}900\text{円}×改定率^{※1})× \frac{保険料納付済期間等^{※2}の月数}{480月(40年)}$$

※1　改定率とは、賃金や物価の変動を年金額に反映するために乗ずる率で、
　　　毎年改定されます。

※2　保険料免除期間も一定の割合で年金額の算定の基礎に入れる場合
　　　があります。

合があります。

　60歳以上65歳未満の者であって受給資格期間を満たしている
ものは、65歳に達する前に厚生労働大臣に支給繰上げの請求を
することができ、請求した翌月から支給が開始されます。ただ
し、その請求をした時期に応じて年金額は減額され〔1か月繰
り上げるごとに0.4％減額（昭和37年4月1日以前生まれの人
は0.5％減額）〕、65歳以降も額は改定されることなく一生減額
された額での支給となります。たとえば60歳でこの請求をする
と、65歳から支給される本来の額の76％の額になってしまいま
す。

　老齢基礎年金の受給権を有する者であって、66歳に達する前
にその請求をせず支給が開始されていなかったものは、原則と
して厚生労働大臣に支給繰下げの申出をすることができ、申出
をした翌月から支給が開始されます。この場合には、その申出
をした時期に応じて年金額は増額され（1か月繰り下げるごと
に0.7％増額）、以後、生涯その増額された額での支給となりま
す。たとえば上限年齢の75歳でこの申出をすると、65歳から支
給される本来の額の184％の額になります。

老齢基礎年金の受給権は
いつ消滅するか？

　老齢基礎年金の受給権は、受給権者が死亡したときに限り消滅します。老齢基礎年金は受給権者が死亡するまで支給される終身年金なのです。

 老齢基礎年金の受給権は、障害基礎年金や遺族基礎年金の受給権と異なり、受給権者の死亡以外の事由によって消滅することはありません。

障害に関する給付

障害を有する者の生活を支える
障害基礎年金──6種類

　一般的な障害基礎年金をはじめ、20歳になる前に発生した傷病による障害（先天性の障害を含む）に関するものなど、支給要件を異にする6種類の障害基礎年金があります。ここではそのうちの1つ、一般的な障害基礎年金（法30条）を取り上げます。まずは支給要件について。

　障害基礎年金は、①障害の原因となった傷病の初診日におい

◨障害基礎年金の種類

障害基礎年金 ─┬─ 一般的な障害基礎年金
　　　　　　　├─ 事後重症による障害基礎年金
　　　　　　　├─ 基準傷病に基づく障害による障害基礎年金
　　　　　　　├─ 20歳前傷病による障害基礎年金
　　　　　　　├─ 経過措置による障害基礎年金
　　　　　　　└─ 特例措置による障害基礎年金

て被保険者であること、または被保険者であった者で、日本国内に住所を有し、かつ、60歳以上65歳未満であること、のいずれかに該当した者が、②障害認定日（この初診日から起算して1年6月を経過した日、またはその前に傷病が治った場合にはその治った日）において、障害等級（重い順に1級、2級と定められています）に該当する程度の障害の状態にあるときに、その者に支給されます（受給権が発生します）。ただし、③初診日の前日において、初診日の属する月の前々月までに被保険者期間があるときは、そのうちの3分の2以上が、保険料納付済期間と保険料免除期間でなければ支給されません（つまり、保険料の滞納期間がある場合、それは全体の3分の1以下でなければならないということです）。少し説明を加えます。

①の初診日の要件ですが、①の後半については
その内容から、国内居住要件のある第1号被保
険者が60歳に達したことによりその資格を喪失し、
老齢基礎年金が支給される65歳になるまでの間
に初診日を迎えたというのが典型的なイメージで
す。②については、学生や専業主婦なども含め
た全国民共通の障害基礎年金を支給する国民
年金法における障害等級は、日常生活の機能
が制約される度合いを基準として、重いほうから1
級、2級と定められています。また、身体の障害
だけでなく精神の障害も対象となります。なぜ「初
診日の前日」において（さかのぼって）保険料
納付要件が問われるのかといえば、初診日以後
に保険料を納付することで、保険料納付要件を
満たすこと（年金が必要になったらその時に保険
料を払えばいい——逆選択）を防止するためです。

　なぜ「初診日の属する月の前々月まで」の被保険者期間で保
険料納付要件（保険料納付済期間と保険料免除期間で3分の2
以上）が問われるのか？　それは各月の保険料の納期限が翌月
末日となっているので（134ページ参照）、初診日の前日におい
てすでに納期限が到来しているのが前々月までの保険料だから
です。また、「初診日の属する月の前々月までに被保険者期間」
がないとき（20歳に達して第1号被保険者の資格を取得した翌
日に初診日がある場合など）は、この保険料納付要件は問えな
いので、上記①と②の要件を満たしていれば受給権は発生しま
す。

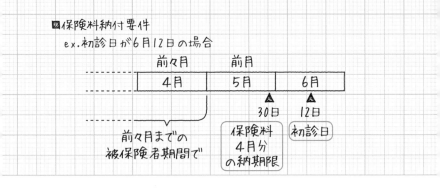

保険料納付要件
ex. 初診日が6月12日の場合

前々月　　前月
4月　　5月　　6月
　　　　　30日　12日
前々月までの　保険料　初診日
被保険者期間で　4月分
　　　　　　　の納期限

　なお、上記の保険料納付要件が満たせなくても、当面は、初診日が令和8年4月1日前にある傷病による障害については、初診日の前日において、初診日の属する月の前々月までの1年間に滞納がなければ障害基礎年金を支給することにしています（初診日に65歳以上の者については、この特例は適用されません）。

　障害基礎年金は、その目的から、加入してすぐに障害状態になった場合でも支給する必要があるので、老齢基礎年金のようにいわば量的な要件（受給資格期間10年以上）を設けることなく、保険料の納付割合（納付済期間と免除期間で被保険者期間の3分の2以上を満たしていること）を要件としている点に注意してください。

確認　一般的な障害基礎年金の支給要件は？

障害基礎年金の支給額は？

　障害基礎年金の支給額は、2級が「780,900円×改定率」（すなわち老齢基礎年金の満額と同額）で、1級がその1.25倍と規定されています。なお、障害基礎年金の受給権者に生計を維持

される子〔高校卒業前の子など—後述の「遺族基礎年金の受給権者となる子」（150ページ）参照〕がいるときは、その子の数に応じて一定額が加算されます。障害基礎年金の受給権を取得した後に生まれた子も、この加算対象となります。

子の加算額	第2子まで	224,700円×改定率
（障害基礎年金・遺族基礎年金）	第3子以降	74,900円×改定率

 配偶者は障害基礎年金の額の加算対象にはなりませんが、障害厚生年金の加給年金額の対象になります（後述します）。

障害が軽くなったときは？

障害の状態が2級の状態より軽くなったときは、障害基礎年金は支給が停止されます。なお、厚生年金保険法で定める3級の状態よりも軽くなって3年が経過し、年齢も65歳以上になったときは、障害基礎年金の受給権は消滅します。

 障害の程度が2級から1級に増進したときは、障害基礎年金の額の改定を請求することができます。

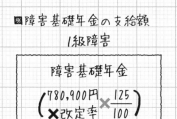

■障害基礎年金の支給額

1級障害

障害基礎年金
$\left(780,900円 \times 改定率 \times \dfrac{125}{100}\right)$

子の加算

2級障害

障害基礎年金
$\left(780,900円 \times 改定率\right)$

子の加算

死亡に関する給付

遺族の生活を支える遺族基礎年金 —— 受給できるのは配偶者と子？

　遺族基礎年金は、次の①〜④のいずれかに該当する者が死亡したときに、その者の配偶者または子に支給されます。ただし、①と②に該当する者については、死亡日の前日において、死亡日の属する月の前々月までに被保険者期間があるときは、そのうちの3分の2以上が、保険料納付済期間と保険料免除期間でなければ支給されません（この保険料納付要件については「障害基礎年金」と同様です）。

① 被保険者
② 被保険者であった者であって、日本国内に住所を有し、かつ、60歳以上65歳未満の者
③ 保険料納付済期間等※が25年以上ある老齢基礎年金の受給権者
④ 保険料納付済期間等※が25年以上ある者で、65歳に達していないもの

※原則として、保険料納付済期間と保険料免除期間を合計した期間

受給権者となる配偶者と子の要件とは？

遺族基礎年金を受けることができる遺族は、被保険者または被保険者であった者の死亡当時、その者により生計を維持し、かつ、次の要件に該当する配偶者または子です。

遺族	要件	
配偶者	下記の子と生計を同じくすること（子のない配偶者は遺族基礎年金を受けることができません）	
子	① 18歳に達する日以後の最初の3月31日までの間にあること または ② 20歳未満であって障害等級に該当する障害の状態にあること	現に婚姻をしていないこと

生計維持されているかどうかの認定は、たとえば前年の収入が850万円未満であればよいとされています。この年収850万円という基準は比較的緩やかなものと思われますが、それは社会通念上著しく高額の収入を有している者以外は、生計を維持されていたものとして、広く遺族年金の支給対象とするという考え方によるものです。

なお、上記に該当する配偶者と子がいるときは、ともに受給権者となりますが、遺族基礎年金は配偶者に支給され、子は支給停止とされます。

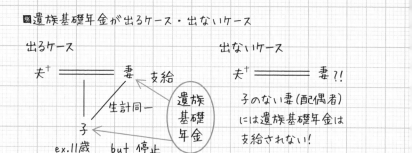

図 遺族基礎年金が出るケース・出ないケース

出るケース　　　　　　　　　　　　　出ないケース

夫✝ ＝＝＝＝ 妻　支給　　　　　夫✝ ＝＝＝＝ 妻？！

生計同一　　遺族基礎年金　　　　　　子のない妻（配偶者）には遺族基礎年金は支給されない！

子
ex.11歳　but 停止

ここをチェック！　子のない配偶者に遺族基礎年金が支給されることはありません。

確認　遺族基礎年金が受けられる遺族とは？

遺族基礎年金の支給額は？

遺族基礎年金の支給額は、「780,900円×改定率」です。つまり、老齢基礎年金も障害基礎年金も、そして遺族基礎年金も、その基本となる額は同じなのです。

なお、配偶者に支給される遺族基礎年金の額には、配偶者と生計を同じくする子（遺族基礎年金の受給権を有する子）の数に応じて所定の額が加算されます。また、受給権者が子だけの場合、その子が1人のときは上記の額ですが、2人以上いるときはこの額に所定の額を加算した合計額を子の数で除して得た額が、それぞれの子に支給されます。

ここをチェック！　子のない配偶者には遺族基礎年金が支給されないので、配偶者に支給される遺族基礎年金には必ず子の加算が行われます。

遺族基礎年金の支給額

<配偶者に支給する遺族基礎年金の額>

780,900円 × 改定率 + 子の加算額 ⬆

1人目の子・2人目の子(1人につき)	224,700円 × 改定率
3人目以降の子(1人につき)	74,900円 × 改定率

<子に支給する遺族基礎年金の額>

・子が1人の場合

780,900円 × 改定率 ← 子の加算はありません

・子が2人以上の場合

{(780,900円 × 改定率) + 子の加算額} ÷ 子の数 ⬆

2人目の子	224,700円 × 改定率
3人目以降の子(1人につき)	74,900円 × 改定率

遺族基礎年金は
いつまで支給されるのか?

　遺族基礎年金の受給権は、前記の要件に該当した配偶者または子が、その要件に該当しなくなれば消滅します。たとえば、子が18歳に達した日以後の最初の3月31日が終了したとき(高校を卒業したときなど)です。ただし、障害等級に該当する障害の状態にあるときは、20歳になるまで、その受給権は消滅しません。また、この子と生計を同じくすることで受給権者となっていた配偶者も、子と同時にその受給権は消滅します。

> **ここをチェック!**
> 受給権者が配偶者であれ子であれ、その者が婚姻したときは受給権は消滅します。「婚姻」とは独立した家計を営むことだと考えられているからです。

COLUMN7　1992年の本試験

　7月の第4週の火曜日。これが当時の本試験日だった。1992年は、梅雨明け直後で、当日は真夏の太陽が照りつけるピーカン。気温は35度くらいだったと思う。今では信じられないと思うが、東京の試験会場はすべて冷房設備がなかった。僕の受ける試験会場は、とある地下鉄の駅から歩いて5分足らずの某大学。学生時代に英検2級の2次試験を受けたところだった。英検は合格していたので、なかなか験（げん）のいい試験会場でよかったと内心思っていた。

　集合時間の20分くらい前に大学に到着。ふき出る汗をタオルで拭いつつ階段で3階まで上がり、指定された大教室に入って驚いた。固定された5人掛けの机がぎっしり並ぶ。その机の上に、受験番号が書かれたカードが5枚、等間隔に貼ってあった。つまり、5人掛けの机にぎっしり5人並んで国家試験を受けるのだ。しかも、冷房設備のない教室で?!　想像だが、おそらく受験生の数の見積もりを誤ったのだろう。

　試験開始前に、注意事項を機械的に抑揚なく話す試験官が最後に、人間的に感情を込めて言った一言が忘れられない。

　「これだけ席がくっついていると、周りの人の答案が丸見えだと思いますが、合格率は10パーセントない国家試験ですから。」

　ですから、なんなんだよ!!　と叫んでやりたかったが、ぐっとこらえて、直後に始まった試験に集中した。

厚生年金保険法

目的、適用そして保険給付の中心は？

厚生年金保険は、民間企業に勤める者や公務員など、労働者の老齢、障害または死亡について保険給付を行い、労働者やその遺族の生活の安定に寄与することを目的とする制度です（法1条）。

厚生年金保険に加入するのは、70歳未満の労働者です。医療保険では、公務員など健康保険ではなく共済に加入している人や船員保険に加入している人であっても、年金保険では、厚生年金保険に加入することになります。ただし、労働者でも、パート勤めやフリーターで労働時間が同じ職場で働く正社員（通常の労働者）の4分の3未満の人は、原則として厚生年金保険は適用されません（後述。なお健康保険でも同じ扱いです）。

保険給付の中心は、国民年金が支給する定額の基礎年金の上乗せとして支給する報酬比例の年金（収入に応じた額の保険料を納め、その納めた保険料の額と期間に応じて支給額が決まる年金）です。

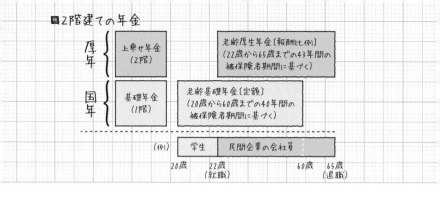

図 2階建ての年金

厚年 { 上乗せ年金（2階）　老齢厚生年金〔報酬比例〕（22歳から65歳までの43年間の被保険者期間に基づく）

国年 { 基礎年金（1階）　老齢基礎年金〔定額〕（20歳から60歳までの40年間の被保険者期間に基づく）

（例）　学生　民間企業の会社員

20歳　22歳（就職）　60歳　65歳（退職）

　国民年金のところで説明したように、厚生年金保険の被保険者は、原則として、同時に国民年金の被保険者（第2号被保険者）でもあるので、図の（例）のような人生を歩んだ方には、このように国民年金および厚生年金保険からそれぞれ老齢年金が支給されることになります。これを一般に「2階建ての年金」といっているのです。

ここをチェック！　厚生年金保険の被保険者は、原則として、同時に国民年金の第2号被保険者でもあることを忘れないでください。

まず「適用事業所」ありき、そして被保険者

　厚生年金保険も、健康保険と同様、事業所を単位として適用されます。そして、強制適用事業所と任意適用事業所の取扱いも健康保険と同じですが、厚生年金保険では船舶も適用事業所となるところがちがいます。この適用事業所に使用される労働者が被保険者となるわけですが、厚生年金保険も常用的な使用関係にある

労働者を典型的な被保険者として想定しているので、使用される期間が短い者などは、適用事業所に使用される者であっても被保険者としないことがあります。

　また、前述のように、勤めていてもパート勤めやフリーターで週の（所定）労働時間または月の（所定）労働日数が通常の労働者の4分の3未満の人には原則として適用されません。ただし、このような人たちであっても、①週の（所定）労働時間20時間以上、②月額賃金8.8万円以上、③学生でないこと、④従業員51人以上の企業（労使合意があれば50人以下の企業でも適用）に使用されていることという要件をすべて満たすときは、厚生年金保険も健康保険も適用されることになりました。

厚生年金保険の被保険者とは？

　厚生年金保険の被保険者の種類を示すと、157ページの図のようになります。

　当然被保険者とは、本人の意思にかかわらず、法律の規定により当然に被保険者となる者をいいます。適用事業所（国、地方公共団体または会社等の法人の事業所など）に使用される70歳未満の者は、適用除外の規定に該当する者（使用される期間が短い者など）を除き、すべて当然被保険者となります。

　なお、平成27年の被用者年金の一元化により、当然被保険者の種別は次表のようになりました。

被保険者の種類

被保険者 ─┬─ 当然被保険者
　　　　　└─ 任意加入被保険者 ─┬─ 任意単独被保険者
　　　　　　　　　　　　　　　　　└─ 高齢任意加入被保険者

■当然被保険者の種別

第1号厚生年金被保険者	下記以外の厚生年金保険の被保険者〔民間被用者等（従来の厚生年金保険の被保険者）〕
第2号厚生年金被保険者	国家公務員共済組合の組合員たる厚生年金保険の被保険者
第3号厚生年金被保険者	地方公務員共済組合の組合員たる厚生年金保険の被保険者
第4号厚生年金被保険者	私学教職員共済制度の加入者たる厚生年金保険の被保険者

確認 当然被保険者になる者とは？

　適用事業所以外の事業所（従業員が5人未満の個人の事業所など）に使用される者は、当然被保険者になることはありませんが、70歳未満の者であって事業主の同意を得て厚生労働大臣の認可を受けたものは、被保険者となることができます。これを任意単独被保険者といいます。あくまでも事業主の同意を得た者だけが単独で被保険者となるのであって、他の従業員までもが一斉に被保険者となるわけではないところが、適用事業所の当然被保険者と異なるところです。なお、同意した事業主に

は、適用事業所で当然被保険者を使用する事業主と同様に、任意単独被保険者の保険料の半額負担と全額の納付をする義務が生じます。

　当然被保険者および任意単独被保険者は、いずれも70歳に達したときは、その日に被保険者の資格を喪失します。しかし、70歳に達したときに老齢厚生年金等（老齢または退職を支給事由とする一定の年金）の受給権を有しない者は、その受給権の取得を目的として、任意に被保険者となることができます。これを高齢任意加入被保険者（こうれいにんいかにゅうひほけんしゃ）といいます。この高齢任意加入被保険者となるための要件には、適用事業所と適用事業所以外の事業所では異なる点があります（下図参照）。

■高齢任意加入被保険者の要件

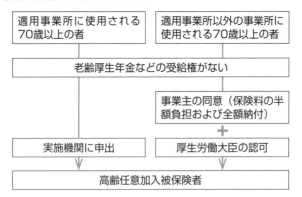

　なお、適用事業所の高齢任意加入被保険者は、事業主の同意が要件とされていないので、本人が保険料の全額を負担し、納付することになります。ただし、事業主が同意してくれたとき

例 保険料額の計算

標準報酬月額
に係る保険料の額 ＝ 標準報酬月額×保険料率

標準賞与額
に係る保険料の額 ＝ 標準賞与額×保険料率

＊賞与支給月がある場合、上記2つの保険料をその翌月末日までに納付することになります。
＊保険料率は、原則1000分の183.00です。

は事業主が半額を負担し、全額を納付することになります。

ここを
チェック！ 高齢任意加入被保険者は、その目的である老齢厚生年金等の受給権を取得したときは、その翌日に被保険者の資格を喪失します。

確認 高齢任意加入被保険者となる要件は適用事業所と適用事業所以外の事業所でどうちがう？

保険料の額も保険給付の額も標準報酬で

厚生年金保険においても、保険料の額の計算や保険給付の額の決定には、標準報酬を用います。標準報酬月額の決定や改定は、健康保険法と同じ方法で行われますが、等級区分が第1級［88,000円］から第32級［650,000円］（令和6年7月現在）とされている点が異なります。また、厚生年金保険法では、標準賞与額の上限額は、賞与の支給1回につき150万円とされています。つまり、厚生年金保険法では標準報酬月額の下限が健康保険法よりも高く設定され、標準報酬月額の上限および標準賞与

額の上限が健康保険法よりも低く設定されているのです。これは、標準報酬月額・標準賞与額が厚生年金保険では保険料だけでなく年金等の支給額の算定基礎ともなることから、支給額の面で、報酬の高低による格差があまり拡大しないように配慮されていることによります。

標準報酬月額が、健康保険では50等級に区分されているのに対し、厚生年金保険では32等級に区分されています（令和6年7月現在）。また、標準賞与額の上限額の定め方も異なります。

保険料額の計算や納付方法は？

保険料は、原則として被保険者の資格を取得した月から被保険者の資格を喪失した月の前月までの各月について、159ページの図の計算方法で算出した額を、その月の翌月末日までに納付します。

保険料は、事業主と被保険者がそれぞれ半額ずつ負担し、事業主がその全額を納付することになっていますが、高齢任意加入被保険者のうち、事業主の同意を得なかった者は、前に述べたように本人が保険料の全額を負担し、納付することになります。

なお、保険料の納付義務を負う事業主は、被保険者に通貨で支払う報酬から、被保険者の負担すべき前月分の保険料を控除することができます（健康保険料も同様です）。

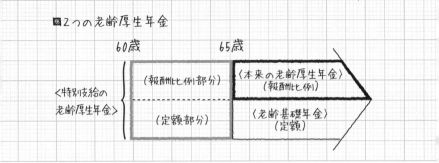

■2つの老齢厚生年金

<特別支給の老齢厚生年金>

60歳 ── 65歳

（報酬比例部分）　　　　〈本来の老齢厚生年金〉（報酬比例）

（定額部分）　　　　〈老齢基礎年金〉（定額）

ここをチェック! 原則として、保険料の折半負担と事業主の納付義務については、健康保険と同様です。

確認 保険料はどのように算定する？

保険給付の種類と年金の支給期間

厚生年金保険の保険給付は次表の通りです。

支給事由	年　　金	一時金
老　齢	老齢厚生年金	─
障　害	障害厚生年金	障害手当金
死　亡	遺族厚生年金	─

　このほかに、国民年金と同様に短期在留外国人の保険料の掛け捨てに配慮した「脱退一時金」の制度があります。

　なお、年金の支給期間および支払期月は、国民年金と共通になっています。

老齢に関する保険給付

2つの老齢厚生年金?!

　国民年金が支給する老齢基礎年金が全国民の老後の基礎的な生活保障を行うものであるのに対し、厚生年金保険が支給する老齢厚生年金は、これを前提に労働者（被保険者）の老後の所得を一定程度保障することを目的としています。

　現在、支給要件も支給内容も異なる2つの老齢厚生年金が定められています。65歳から支給される、いわゆる本来の老齢厚生年金と、65歳未満の者に支給される、特別支給の老齢厚生年金です（161ページの図参照）。

[確認]　2つの老齢厚生年金とは?

65歳以降の老齢厚生年金（本来の老齢厚生年金）の支給要件 ——老齢基礎年金の上乗せ

　65歳以降の老齢厚生年金は、老齢基礎年金の受給資格期間を満たした者のうち、厚生年金保険の被保険者期間が1月以上あるものに対して、65歳から、老齢基礎年金に上乗せする形で支給されます。

■ 報酬比例の年金額

① 平成15年3月までの被保険者期間分

$$平均標準報酬月額 \times \frac{7.125}{1000} \times 被保険者期間の月数$$

② 平成15年4月以降の被保険者期間分

$$平均標準報酬額 \times \frac{5.481}{1000} \times 被保険者期間の月数$$

＊「平均標準報酬月額」とは、平成15年3月までの被保険者期間の計算の基礎となる各月の標準報酬月額を平均した額をいいます。
＊「平均標準報酬額」とは、平成15年4月以降の被保険者期間の計算の基礎となる各月の標準報酬月額と標準賞与額の総額を、被保険者期間の月数で除して得た額をいいます。

65歳以降の老齢厚生年金は、厚生年金保険の被保険者期間が1月であっても、老齢基礎年金に上乗せして支給されます。

報酬比例の年金額とは？

　65歳以降の老齢厚生年金の額は、在職中の報酬（標準報酬）に比例した額で、計算式は上の図の通りです。標準報酬月額や標準賞与額が高ければそれに定率の保険料率を乗じた保険料の額も高くなるので、高い保険料を納めていた人ほど、また、長く保険料を納めていた（被保険者期間の月数が多い）人ほど、それに比例して年金額も高くなるという仕組みです。平成15年4月より報酬だけでなく賞与の額も年金額に反映されることになったため、年金額の計算方法が、平成15年3月までの期間に基づくものと平成15年4月以降の期間に基づくものとでは異なっています。被保険者期間が両方にある受給権者については、それぞれで計算した額の合計額が支給額となります。なお、受給権者がその権利を取得した月以後における被保険者期間は、原則として年金額の計算の基礎には入れませんが、受給

権取得後も引き続き厚生年金の被保険者である場合は、年に1度の在職定時改定や退職改定によって、受給権取得後の被保険者期間も算入して年金額の改定を行います。

　また、65歳以降の老齢厚生年金の額には、その受給権者が次の①と②の要件を満たす場合には、②の配偶者や子を扶養するための分として、加給年金額が加算されます。

① 　老齢厚生年金の年金額の計算の基礎となる被保険者期間が、原則として20年（240月）以上あること

② 　老齢厚生年金の受給権者がその受給権を取得した当時、その者によって生計を維持していた次のいずれかに該当する者がいること

　・65歳未満の配偶者

　・18歳に達する日以後の最初の3月31日までの間にある子

　・20歳未満で障害等級1級または2級の障害状態にある子

加給年金額の額は次の通りです。

配偶者	224,700円×改定率※
1人目の子・2人目の子（1人につき）	224,700円×改定率※
3人目の子以降（1人につき）	74,900円×改定率※

※「改定率」は、国民年金法の「改定率」と同じ（この後に記載されている「改定率」も同様）。

ここをチェック！　配偶者対象の加給年金額は、その配偶者自身が所定の老齢年金や障害年金を受給できるときは、加算が停止されます。

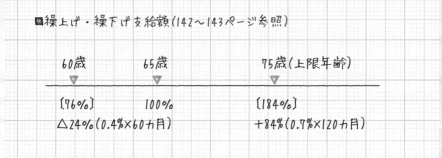

■繰上げ・繰下げ支給額(142〜143ページ参照)

60歳	65歳	75歳(上限年齢)
〔76%〕	100%	〔184%〕
△24%(0.4%×60カ月)		+84%(0.7%×120カ月)

65歳以降の老齢厚生年金にも繰上げ、繰下げあり

　65歳以降の老齢厚生年金は、受給権が発生する65歳から、老齢基礎年金とあわせて支給が開始されますが、老齢基礎年金と同じように、本人の希望により支給開始を65歳より前に繰り上げたり、66歳以降に繰り下げたりすることができる場合があります。支給繰上げの請求は、老齢基礎年金の支給繰上げの請求を行うことができる者にあっては、その請求と同時に行わなければならないとされています。

　支給額はもちろん、老齢基礎年金と同じように（同じ率で）、繰り上げた場合は減額、繰り下げた場合は増額されます。

ここをチェック！　繰上げ支給の老齢厚生年金を請求した場合であっても、加給年金額は65歳から加算されます。

ざいしょくろうれいねんきん
在職老齢年金？！

　老齢厚生年金は、本来、現役を退いた後の（退職後の）老後

の所得保障として支給されるものです。しかし、60歳台でも働いている人はたくさんいますし、会社の役員など高い報酬を得ている人もいます。そこで、老齢厚生年金の受給権取得後も会社勤めを続け収入があるときは、その者の標準報酬月額と、標準賞与額を12で割った額との合計額に応じて、老齢厚生年金の一部または全部の支給を停止することにしています。これを在職老齢年金といいます。

 在職老齢年金の規定により老齢厚生年金の一部または全部の支給が停止されても、老齢基礎年金は全額支給されます。

確認 在職老齢年金とは？

65歳以降の老齢厚生年金の受給権はいつ消滅するか？

65歳以降の老齢厚生年金の受給権は、受給権者が死亡したときに限り消滅します。老齢基礎年金と同じように、終身年金です。

特別支給の老齢厚生年金（65歳未満の老齢厚生年金）——これまでの経緯

昭和61年4月1日から、新法により65歳から老齢基礎年金と65歳以降の老齢厚生年金を支給することとなりましたが、それ

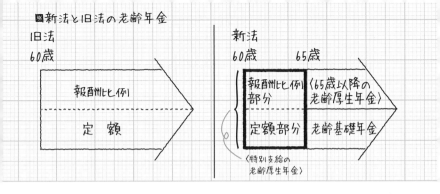

新法と旧法の老齢年金

以前は旧厚生年金保険法により一般的な定年年齢に合わせて60歳から報酬比例部分と定額部分を併せた老齢年金が支給されていました。そこで、支給開始年齢が60歳から65歳に突然引き上げられることにより生じる国民の大きな不利益を避けるため、当分の間、旧法の老齢年金に相当する年金（「報酬比例部分」と「定額部分」を併せた年金）を60歳から65歳に達するまでの間支給するという経過的な措置をとることにしました。これが特別支給の老齢厚生年金です。

その後、平成6年の年金制度改正で、この特別支給の老齢厚生年金のうち、「定額部分」の支給開始年齢を生年月日に応じて段階的に引き上げていき、最終的には「報酬比例部分」の額のみの年金とすることにしました。

さらに、平成12年の年金制度改正で、この特別支給の老齢厚生年金の「報酬比例部分」についても支給開始年齢を生年月日に応じて段階的に引き上げていき、最終的には、特別支給の老齢厚生年金そのものを廃止することにしました。

現在、特別支給の老齢厚生年金の支給開始年齢および給付内容は、生年月日に応じて168ページのようになっています。

特別支給の老齢厚生年金（65歳未満の老齢厚生年金）の支給要件

特別支給の老齢厚生年金は、老齢基礎年金の受給資格期間を満たした者のうち、厚生年金保険の被保険者期間が1年以上あるものに対して、原則として60歳から（実際には下図のように）支給されます。65歳以降の老齢厚生年金とは異なり、老齢基礎年金と併せて支給されることはありません。

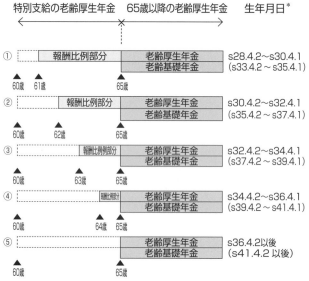

＊生年月日は男子および第2号～第4号女子（カッコ内は第1号女子）
＊特別支給の老齢厚生年金の定額部分の引き上げは既に完了

■ 報酬比例部分の計算方法

　*65歳以降の老齢厚生年金と同じ

■ 定額部分の計算方法

　(1,628円×改定率)×被保険者期間の月数(上限あり)

ここをチェック! 特別支給の老齢厚生年金は、厚生年金保険の被保険者期間が1年以上なければ支給されません。

特別支給の老齢厚生年金の年金額は生年月日に応じて

　特別支給の老齢厚生年金の支給は、受給権者の生年月日に応じて、前述のようになります。

　報酬比例部分の額は、65歳以降の老齢厚生年金と同じ計算式で算出します。

在職老齢年金?!

　特別支給の老齢厚生年金の受給権者も、会社勤めを続け収入があると、65歳以降の老齢厚生年金の受給権者と同じように在職老齢年金により、その年金の一部または全部の支給を停止されることがあります。

雇用保険法の失業等給付との併給調整？！

特別支給の老齢厚生年金の受給権者が退職して失業し、雇用保険から基本手当の支給を受けるという状況も想定できますね。

雇用保険法の基本手当は、労働の意思および能力を有するにもかかわらず職業に就くことができない状態（失業状態）にある者の生活保障を目的として支給されるものです。一方、老齢厚生年金は、現役を退いた労働者の老後の所得保障を目的として支給されるものです。

このように給付の趣旨・目的を異にし両立し得ない基本手当と老齢厚生年金が同時に支給されるのは不合理との理由から、基本手当が支給されるときは特別支給の老齢厚生年金の支給は停止されます。

また、雇用保険法の高年齢雇用継続給付の支給を受けることができるときにも、特別支給の老齢厚生年金は減額されるなどの支給の調整が行われます。

 ここをチェック！ 雇用保険法の失業等給付との併給調整は、65歳以降の老齢厚生年金については原則として行われません。

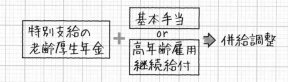

特別支給の老齢厚生年金は
いつ消滅するか？

　特別支給の老齢厚生年金の受給権は、受給権者が死亡したときのほか、受給権者が65歳に達したときにも消滅します。つまり、65歳に達したときは、特別支給の老齢厚生年金の受給権が消滅するとともに、65歳以降の老齢厚生年金の受給権が発生するわけです。

ここを
チェック！　特別支給の老齢厚生年金の受給権は、死亡以外の事由（65歳に達したとき）でも消滅する点に注意！

障害に関する保険給付

障害を負った労働者の生活を支える障害厚生年金——4種類

　厚生年金保険には、障害等級が1級から3級まであり、障害等級1級または2級に該当するときは、原則として障害基礎年金に上乗せする形で障害厚生年金が支給され、3級に該当するときは、障害厚生年金が単独で支給されます。また、障害等級3級にも該当しない障害であっても、一時金として障害手当金が支給される場合があります。

　厚生年金保険には支給要件を異にする4種類の障害厚生年金があります。

　ここではそのうちの1つ、一般的な障害厚生年金（法47条）について説明します。

　障害厚生年金は、次の①〜③のすべての要件を満たしたときに支給されます。

　①　障害の原因となった傷病の初診日において、厚生年金

■障害厚生年金の支給額

1級	2級	3級
老齢厚生年金の額の規定の例により計算した額 × 125/100	老齢厚生年金の額の規定の例により計算した額	老齢厚生年金の額の規定の例により計算した額
配偶者加給年金額	配偶者加給年金額	

＊最低保障額＝ 780,900円×改定率 ＊ ×3/4   ※障害等級2級の障害基礎年金の額

＊配偶者加給年金額＝224,700円×改定率

保険の被保険者であること

② 障害認定日（145ページ参照）において、障害等級の1級、2級、または3級のいずれかの状態であること

③ 障害基礎年金と同じ保険料納付要件を満たしていること（145ページ参照）

障害厚生年金は、障害基礎年金と異なり、その初診日において厚生年金保険の被保険者でないときは、支給されることはありません。障害等級は、障害基礎年金と同じ1・2級に加え、3級も設けられています。厚生年金保険では障害年金の対象が労働者なので働けない場合の所得保障という観点から、この3級の障害の程度は、労働が著しい制限を受けるかなどを基準に定められています。

 障害の原因は、業務上であると業務外であるとを問いません（障害基礎年金も同様）。

確認 障害厚生年金と障害基礎年金の傷病の初診日の要件のちがいは？

障害厚生年金の支給額は？

障害厚生年金の支給額は、173ページの図の通りです。

「老齢厚生年金の額の規定の例により計算した額」は、次の①②を合計した額です。

> ① 平成15年3月までの被保険者期間分
>
> $$平均標準報酬月額 \times \frac{7.125}{1000} \times 被保険者期間の月数$$
>
> ② 平成15年4月以後の被保険者期間分
>
> $$平均標準報酬額 \times \frac{5.481}{1000} \times 被保険者期間の月数$$

障害認定日の属する月後における被保険者期間は、年金額の計算の基礎には入れません。また、計算の基礎となる被保険者期間の月数が300に満たないとき（受給権者が若い場合など）は、これを300として計算します。なお、同一の障害について障害基礎年金の支給を受けることができない場合（障害等級3級に該当する場合など）には、最低保障額が設けられています（173ページの図参照）。

障害の程度が障害等級1級または2級に該当する者に支給する障害厚生年金の額には、受給権者によって生計を維持しているその者の65歳未満の配偶者があるときは、配偶者加給年金額が加算されます（173ページの図参照）。

■障害厚生年金の失権

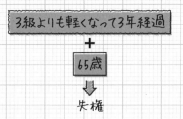

障害厚生年金では、「子」は加給年金額の対象とはされていません（障害基礎年金で加算対象とされています）。

障害が軽くなったときは？

障害の程度が3級の状態より軽くなったときは、障害厚生年金は支給が停止されます。なお、3級の状態よりも軽くなって3年が経過し、年齢も65歳以上になったときは、障害厚生年金の受給権は消滅します（障害基礎年金と同じです）。

障害の程度が従前の等級よりも増進したときは、障害厚生年金の額の改定を請求することができます（この額の改定を請求することができない場合もあります）。

死亡に関する保険給付

遺族厚生年金の支給要件
——死亡した者の要件

遺族厚生年金は、被保険者または被保険者であった者が次の①〜④のいずれかに該当する場合に、その者によって生計を維持していた一定の遺族に支給されます。

短期要件	①　被保険者が死亡したとき ②　被保険者であった者が、資格喪失後、被保険者期間中に初診日がある傷病で初診日から起算して5年を経過する日前に死亡したとき	保険料納付要件必要
	③　障害等級1級または2級の障害厚生年金の受給権者が死亡したとき	保険料納付要件不要
長期要件	④　保険料納付済期間等※が25年以上ある老齢厚生年金の受給権者または保険料納付済期間等※が25年以上ある者が死亡したとき	

※保険料納付済期間と保険料免除期間を合計した期間

短期要件①または②に該当する場合には、遺族基礎年金と同じ保険料納付要件が問われます。

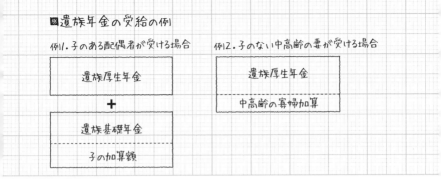

図 遺族年金の受給の例

例1. 子のある配偶者が受ける場合

遺族厚生年金

＋

遺族基礎年金
子の加算額

例2. 子のない中高齢の妻が受ける場合

遺族厚生年金
中高齢の寡婦加算

受給権者となる遺族の範囲・順位は？

遺族厚生年金の受給権者となる遺族の範囲と順位は下の表の通りです。

遺族の順位	被保険者または被保険者であった者の死亡の当時の要件		
	続柄	生計維持	年齢・障害等
第1順位 （配偶者と子）	妻	生計を維持していた	——
	夫		55歳以上であること
	子		18歳に達する日以後の最初の3月31日までの間にあるか、20歳未満で障害等級1級または2級に該当すること かつ 現に婚姻していないこと
第2順位	父母		55歳以上であること
第3順位	孫		18歳に達する日以後の最初の3月31日までの間にあるか、20歳未満で障害等級1級または2級に該当すること かつ 現に婚姻していないこと
第4順位	祖父母		55歳以上であること

　この要件に該当する最先順位の者だけが受給権者となります。配偶者（妻または夫）と子は同順位となりますが、配偶者

と子が受給権者のときは、子の遺族厚生年金は支給停止とされます。

　なお、妻については、他の遺族と異なり、被保険者または被保険者であった夫の死亡当時、一定の年齢または障害状態にあるという要件は設けられていません。また、夫（同一の支給事由による遺族基礎年金の受給権を有する者を除く）、父母または祖父母で、55歳以上60歳未満の者が受給権者となったときは、60歳になるまで遺族厚生年金の支給は停止されます。

確認　遺族厚生年金を受給できる遺族の範囲は？

遺族厚生年金の支給額は？

　遺族厚生年金の支給額は、原則として、179ページの図の通りです。

　「死亡した者について老齢厚生年金の額の規定の例により計算した額」とは、次の①②を合計した額です。

---

① 平成15年3月までの被保険者期間分

$$平均標準報酬月額 \times \frac{7.125}{1000} \times 被保険者期間の月数$$

② 平成15年4月以後の被保険者期間分

$$平均標準報酬額 \times \frac{5.481}{1000} \times 被保険者期間の月数$$

　なお、短期要件に該当する場合には、計算の基礎となる被保

■遺族厚生年金の支給額(原則)

$$遺族厚生年金の年金額 = \left[\begin{array}{l}死亡した者について老齢厚生年金の\\額の規定の例により計算した額\end{array}\right] \times \frac{3}{4}$$

険者期間の月数が300に満たないとき（死亡した被保険者または被保険者であった者が若い場合など）は、これを300として計算します。また、受給権者が2人以上であるとき（父母が受給権者となった場合など）は、それぞれの遺族厚生年金の額は、上記により算定した額を受給権者の数で除して得た額となります。

中高齢の寡婦加算とは？

妻が40歳以上65歳未満の間に夫が死亡し、子がないことにより遺族基礎年金が支給されないときなどは、遺族厚生年金の額に一定額が加算される場合があります。これを中高齢の寡婦加算といいます。

 中高齢の寡婦加算は妻が65歳になるまで、つまり老齢基礎年金が支給開始されるまで行われます。

併給調整？！

最後に、国民年金、厚生年金保険に共通の併給調整について

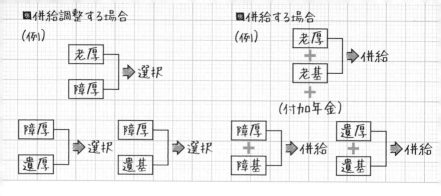

触れておきます。

● 原則

　「1人1年金」の原則により、同一人が2以上の年金の受給権を取得した場合には、いったんすべての年金の支給が停止され、受給権者が選択する1つの年金について停止が解除されて支給されることになっています。

● 例外

　国民年金の年金と厚生年金保険の年金は、老齢基礎年金と老齢厚生年金のように、支給事由が同一の場合には両方の年金が併せて支給されます。これを併給といいます。一般的には、「2階建ての年金」といわれています。なお、65歳以降に、例外として、支給事由を異にする場合でも併給されるケースがあります。たとえば遺族厚生年金と老齢基礎年金は併給されます。これは、遺族厚生年金が受給権者によっては、その者の老後の生活（所得）保障の役割も担うことから、老齢基礎年金との併給に何ら矛盾するところがないからです。

COLUMN 8　11月の群青色の空

　1992年11月のとある日、少しひんやりとした朝の空気の中、合格者名が掲示される東京都の労働局へ、地下鉄の駅から歩いて向かっていた。通っていた学校から送られてきていた解答速報で、すでに自己採点はやっていたので、結果の予想は大方ついていた。それでも、近づくにつれ、胸の鼓動が高まってくるのが感じられた。

　掲示場所の1階ロビーはガランとして、まだ誰もいなかった。そして、掲示もされていなかった。「ちょっと早すぎたかな」。苦笑いを浮かべて、ロビーをあらためて見回してみると、壁際の長机の上に、冊子が無雑作に置かれているのが目に入った。近づいて手にとってみると、まぎれもなく、これから掲示される合格者名簿であった。周りはシンとして人の気配はない。「見ちゃえ！」。受験番号順に氏名が掲載されている。自分の受験番号に近づくにつれ、冊子をめくる手が少し震える。

　「あったあ！」と思わず声を出して、あわてて周りを見る。大丈夫、まだ人の気配はない。冊子を机の上に、もとの角度にして戻し、公衆電話へと走った。

　家族や友人に合格を報告してから、ロビーに戻った。職員と思しき人が、冊子をバラして、掲示板に貼りはじめたところだった。

　「合格発表を見にきたの？　一番に見にくる人はたいてい受かってるよ。何番？」

　「ハイ、○○番です！」元気よく、自分の受験番号を伝えた。

一般常識（労一・社一）

社労士試験における「一般常識」とは？！

「クイズの一般常識は得意なんだよね！」という方、くれぐれもカン違いしないように。社労士試験における「一般常識」は、テレビのそれとは別モノです。正式な試験科目名が「労務管理その他の労働に関する一般常識」（以下「労一」といいます）と「社会保険に関する一般常識」（以下「社一」といいます）となっているように、あくまでも、社労士実務における一般常識です。具体的には、183ページの図に挙げた出題項目に集約されます。

「労働経済」では、雇用・失業の動向（有効求人倍率や完全失業率など）をはじめとする労働市場の現状や傾向が直近のデータに基づいて問われます。

「労務管理」は、生産性の向上を目的とした諸々の施策（たとえば教育訓練など）の総称です。社労士は、顧問先の社長から労務管理について相談をもちかけられることもあります。それに応えられるようにあらかじめ基礎的な知識を身につけてお

〈労一〉　　　〈社一〉
◎労働の経済　◎社会保険関係法規
◎労働法規　　◎社会保険の沿革
◎労務管理

く必要があるので、出題範囲とされています。

　「社会保険の沿革」では、現在の制度に至るまでの主要な改正について問われます。

　「労働法規」と「社会保険関係法規」は、これまで見てきた法律のように試験科目名としては挙がっていませんが、実務において社労士が扱うことのある法律から出題されます。

　ここでは、この「労働法規」と「社会保険関係法規」のなかからいくつかピックアップして、その趣旨・目的などを説明します。

労一

労働者の地位の向上を目指して
——労働組合法

　憲法第28条が保障する労働基本権（労働三権）、すなわち①団結権、②団体交渉権、③団体行動権、を前提に、その具体的な保障内容を定めるのが労働組合法です。法第１条第１項はこうです。「この法律は、労働者が使用者との交渉において対等

の立場に立つことを促進することにより労働者の地位を向上させること、労働者がその労働条件について交渉するために自ら代表者を選出することその他の団体行動を行うために自主的に労働組合を組織し、団結することを擁護すること並びに使用者と労働者との関係を規制する労働協約を締結するための団体交渉をすること及びその手続を助成することを目的とする。」。

そして、この目的を達成するためにした正当な行為、たとえばストライキなどは、刑法によって処罰されることはなく（刑事免責）、また、これによって使用者が損害を受けたとしても労働組合やその組合員に賠償請求はできない（民事免責）ものとされています。これらの免責規定があることによって、憲法が定める前述の三権を実際に行使することができるようにしているわけです。

また、使用者が労働組合の存在を脅かす行為、たとえば組合幹部の解雇や配置転換などの支配介入や団体交渉の拒否などは、不当労働行為として禁じられています。

確認 憲法第28条が保障する労働基本権（労働三権）とは？
それを具体的に保障する法律は？

非正規労働者の保護を図る
——パート・有期法etc.

近年、派遣やパート、有期雇用（期間の定めがある雇用契約）といった非正規雇用の急速な増加・多様化傾向のなかで、そこ

⬛非正規雇用の問題の顕在化！

非正規雇用 { パート → パート・有期法

有期雇用 → 労働契約法、パート・有期法

派遣 → 労働者派遣法

から生じる問題が顕在化してきました。主な問題点は、非正規労働者の雇用の不安定さ、正規労働者との賃金などの処遇格差です。そこで、個別の立法での対策としては、労働契約法（その第4章「期間の定めのある労働契約」）、パート・有期法、労働者派遣法が、非正規労働者の保護等を図る規定を定めています。

　たとえば、労働契約法では、同一の使用者の下で有期労働契約が更新されて通算契約期間が5年を超える場合に、労働者が無期労働契約への転換の申込みをすれば、使用者がその申込みを承諾したものとみなされ、期間の定めのない労働契約が成立することになる旨が定められています。これは、有期労働契約とはいえ、通算で5年を超える期間雇っているのであれば、それはもはや臨時的ではなく恒常的な戦力となっているのだから、実態に即して、雇用の安定につながる無期労働契約への転換権を労働者に認めたものといえます。パート・有期法では、事業主は、その雇用する短時間・有期雇用労働者の基本給、賞与その他の待遇のそれぞれについて、当該待遇に対応する通常の労働者の待遇との間において、当該短時間・有期雇用労働者

および通常の労働者の職務の内容（責任を含む）、当該職務の内容および配置の変更の範囲その他の事情のうち、当該待遇の性質および当該待遇を行う目的に照らして適切と認められるものを考慮して、不合理と認められる相違を設けてはならないとしています。また派遣法でも、派遣元事業主はその雇用する派遣労働者について、派遣先の通常の労働者との関係で基本給、賞与などの待遇につき不合理な相違を設けてはならないとし、当該派遣労働者と派遣先の通常の労働者の職務の内容が同じで、雇用関係が終了するまでの全期間において職務の内容や配置の変更の範囲もずっと同じという場合には、正当な理由なく基本給・賞与などの待遇につき、当該通常の労働者に比して不利なものとしてはならないとしています。つまり、派遣労働者についても派遣先の労働者との関係で均等・均衡待遇原則が適用されるということになります。

確認　いわゆる非正規労働者とは？　非正規労働者を対象とした法律とは？

賃金の最低額を保障する、その名も「最低賃金法」！

「最低賃金法」は、賃金の最低額を保障することにより、労働者の生活の安定や、企業間の公正な競争の確保などが図られるようにすることを目的に定められた法律です。

最低賃金の額は、最低賃金審議会の調査審議に基づいて、時

最低賃金法

最低賃金の額 ＞ 契約上の賃金の額
┗→ 無効 ➡ 最低賃金の額に!!

間単位で定めるものとされています。最低賃金には、都道府県
ごとの〝地域別最低賃金〟と、特定の産業について地域別最低
賃金を上回る最低賃金を定める〝特定最低賃金〟があります。

　地域別最低賃金は、地域における労働者の生計費および賃金
ならびに通常の事業の賃金支払能力を考慮して定められなけれ
ばならないとされています。地域別最低賃金はすべての労働者
の賃金の最低限を保障する安全網（セーフティネット）として
位置づけられており、使用者がこの最低賃金額に満たない賃金
しか支払わないときは、50万円以下の罰金に処せられます。ま
た、労働者と使用者との間の労働契約で最低賃金額に達しない
賃金を定めた場合、その部分を無効とし、無効となった部分は
最低賃金と同様の定めをしたものとみなされます。

　なお、最低賃金法における「労働者」とは労働基準法の「労
働者」とイコールなので、この法律に基づく最低賃金は、正社
員だけではなく、パートタイム労働者、アルバイト、臨時雇用
者であっても適用されます。したがって、使用者はこれらの者
に対しても、最低賃金額以上の額を支払わなければなりません。

確認　「地域別最低賃金」はどのように定められる？

性別による差別の禁止、母性の尊重
──男女雇用機会均等法

「男女雇用機会均等法」（以下「均等法」といいます）は、雇用の分野における男女の均等な機会および待遇の確保を図るとともに、女性労働者の就業に関して妊娠中および出産後の健康の確保を図るなどの措置を推進することを目的としています。

まず、事業主は、労働者の募集・採用について、性別にかかわりなく均等な機会を与えなければなりません。たとえば、募集・採用の基準を男女で異なるものにしたり、男女別の人数枠を設けたりすることは禁じられています。さらに、①労働者の配置・昇進・降格・教育訓練、②住宅資金貸付けなどの福利厚生措置、③労働者の職種・雇用形態の変更、④退職勧奨・定年・解雇・契約更新について、性別を理由とした差別的取扱いをしてはいけません。

たとえば①について、一定の役職に昇進するための試験の合格基準を男女別々に用意することは、たとえ男女双方の適性をそれぞれ適切に生かすうえで効果的な工夫であったとしても、均等法違反となります。男女で異なる適性を想定すること自体が、均等法の精神に反するからです。また、事業主は、性別以外の事由を要件とする募集・採用などの一定の措置のうち、男女の比率などを勘案し、実質的に性別を理由とした差別となるおそれがある措置については、業務遂行上や雇用管理上の特段

■男女雇用機会均等法

雇用の分野において

男性 ⟷ 女性
- 均等な機会・待遇の確保
- 性別による差別の禁止

母性の尊重　等

の必要性など合理的な理由がない限り、これを講じてはならないとされています。このような、いわゆる間接差別についても規制の対象として定めているのです。

　女性労働者については、①婚姻、妊娠、出産を退職理由とする定め、②婚姻を理由とする解雇、③妊娠、出産、産前産後休業の請求・取得などを理由とした解雇等の不利益取扱い、④妊娠中および出産後1年以内の解雇は原則として無効とされています。

　また、事業主は、職場において行われた性的な言動（「セクシュアル・ハラスメント」）に対する労働者の対応により、その労働者が労働条件につき不利益を受けたり、それにより就業環境が害されることのないよう、労働者からの相談に応じ、適切に対応するための雇用管理上必要な措置を講じなければならないとされています。さらに、女性の就業促進・雇用継続を図るため、女性労働者が妊娠したこと、出産したこと、労基法に規定する産前休業を請求し、又は産前産後休業をしたことなどに関して、職場において行われる言動（「マタニティ・ハラスメント」）によりその女性労働者の就業環境が害されることのないよう、その女性労働者からの相談に応じ、適切に対応する

ための雇用管理上必要な措置を講じなければならないとされています。

確認　役職昇進試験において、男女双方の適性をふまえた男女別の合格基準を設けることはできる？

家庭生活と職業生活の両立を図るための休業制度——育児・介護休業法

「育児・介護休業法」は、子の養育または家族の介護を行う労働者の雇用の継続と再就職の促進を図ることにより、これらの者の家庭生活と職業生活との両立に寄与することなどを目的としています。

子を養育する労働者は男女を問わず、子が1歳に達するまでの期間、事業主に申し出ることにより育児休業を取ることができます。同一の子について労働者である父母の両方が育児休業を取るとき（たとえば途中で交代する場合など）は、子が1歳2か月に達するまで育児休業を取ることができます（いわゆる「パパ・ママ育休プラス」）。なお、子が1歳（または1歳2か月）に達するまで保育所に入れない等の場合には、申請することにより、例外的に子が1歳6か月に達するまで育児休業を延長することができます。さらに、1歳6か月に達した時点で保育所に入れない等の場合には、再度申出することにより、最長2歳まで延長することができます。

また、令和4年10月1日から、男性の育児休業の取得促進を

■ 育児・介護休業法

育児休業制度&介護休業制度等

雇用の継続・再就職の促進

職業生活と家庭生活との両立

図るため、子の出生後8週間に分割して2回、合計して28日間の休業を取ることができる出生時育児休業の制度（いわゆる「産後パパ育休」）が始まりました。この制度では、労使協定を締結した場合には、労働者が個別に合意した範囲内で休業期間中の就業が可能となるなど、柔軟な休業の設定ができるようになっています。

要介護状態の家族をもつ労働者は、男女を問わず、事業主に申し出ることにより、対象家族1人につき93日を限度として、3回まで介護休業をすることができます。

事業主は、育児休業期間中や介護休業期間中は、賃金を支払う義務はありません。そこで、雇用保険法の失業等給付の一環である雇用継続給付として介護休業給付金の制度が、また育児休業等給付の制度が定められているのです。

事業主は、労働者が育児休業や介護休業の申出をしたり取得したことを理由に、解雇その他不利益な取扱いをしてはならないとされています。

確認 育児・介護休業法の目的は？

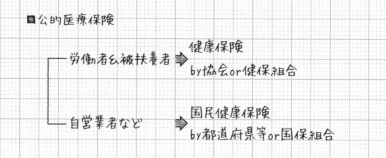

社一

労働者以外の者を対象とする医療保険
——国民健康保険法

　健康保険法が労働者を対象とするのに対し、国民健康保険法は労働者ではない一般住民を対象とし、その者の疾病、負傷、出産または死亡に関して必要な保険給付を行う医療保険です。

　都道府県は、当該都道府県内の市町村（特別区を含みます）とともに、国民健康保険を行うものとされています。また、これとは別に医師、弁護士、土木建築、理美容など同業種で国民健康保険組合をつくって、国民健康保険事業を独自に運営しているものもあります。ここでは、都道府県が当該都道府県内の市町村とともに行う国民健康保険（以下「都道府県等が行う国民健康保険」といいます）について、簡単に説明します。

　都道府県の区域内に住所を有する者は、適用除外に該当する者（健康保険の被保険者や被扶養者など）を除いて、すべてその都道府県等が行う国民健康保険の被保険者となります。国民

■高齢者医療確保法

前期高齢者	⇒	後期高齢者
（65歳以上75歳未満）		（75歳以上）
‖		‖
各医療保険の被保険者or被扶養者		後期高齢者医療制度の被保険者

　健康保険は世帯単位で適用されるので、世帯主もその家族も一様に被保険者となります。被扶養者という概念はありません。ただし、保険料や療養の給付を受けたときの一部負担金の支払義務は、すべて世帯主が負うことになります。なお、子育て世帯の支援を目的として、世帯に出産する予定の被保険者又は出産した被保険者がいる場合には、保険料が減額される制度があります。

　保険給付の中心は健康保険と同様、療養の給付です。一部負担金の負担割合は、年齢区分などにより、次のようになっています。

	区　　　　分	負担割合
a	6歳の年度末過ぎ70歳未満	10分の3
b	6歳の年度末まで	10分の2
c	70歳以上（d、eの場合を除く）	10分の1
d	70歳以上の一定以上の所得者	10分の2
e	70歳以上の現役並み所得者	10分の3

確認　国民健康保険と健康保険の保険者、被保険者のちがいは？

前期高齢者、後期高齢者とは？
——高齢者医療確保法

「高齢者医療確保法」は、高齢者の医療について、国民の共同連帯の理念などに基づいて、①前期高齢者（原則として、65歳以上75歳未満の者）に係る保険者間の費用負担の調整や、②後期高齢者（原則として、75歳以上の者）に対する適切な医療の給付などを行うために必要な制度を設けるなどして、国民保健の向上および高齢者の福祉の増進を図ることを目的とするものです。

①は、前期高齢者の加入割合の違いにより生じる保険者間の費用負担の不均衡を調整する制度です。具体的には、前期高齢者の加入割合が低い健康保険などの保険者から、前期高齢者納付金等を徴収し、前期高齢者の加入割合が高い国民健康保険などの保険者に、前期高齢者交付金として交付するものです。

②は、後期高齢者を被保険者とする独立した医療制度です。健康保険や国民健康保険に加入していた者が75歳になると、後期高齢者医療制度に移り、ここで被保険者として保険料を負担し、医療給付を受けることになります。医療給付の中心となる療養の給付の一部負担金の負担割合は原則として1割とし、一定以上の所得者にあっては2割、現役並み所得者は3割としています。

介護保険法

加齢に伴って生ずる心身の変化に起因する疾病等により

要介護状態

↓

要介護認定

↓

介護給付

確認 後期高齢者医療制度の被保険者とは？

要介護高齢者へ居宅サービスや施設サービスを提供する──介護保険法

「介護保険法」とは、加齢に伴って生じる心身の変化に起因する疾病などで要介護状態となった者が、その有する能力に応じて自立した日常生活を営むことができるように、必要な保健医療サービスや福祉サービスを提供することを定めた法律です。

介護保険の保険者は、市町村および特別区（以下「市町村」といいます）です。そして保険給付の要件の範囲や保険料設定の相違から、市町村の区域内に住所を有する65歳以上の者を第1号被保険者、40歳以上65歳未満の医療保険加入者を第2号被保険者としています。

介護給付を受けようとする被保険者は、要介護者に該当することおよびその該当する要介護状態区分について、市町村の認定を受けなければなりません。

保険給付として、居宅サービスや施設サービスを受けるのに

要した費用の100分の90に相当する額が、原則として支給されます。

[確認] 介護保険の被保険者とは？

社会保険とは何か──まとめにかえて

　憲法第25条第1項が謳う生存権を守る社会保障は、「国民の生活の安定が損なわれた場合に、国民にすこやかで安心できる生活を保障することを目的として、公的責任で生活を支える給付を行うものである」（1993年社会保障制度審議会社会保障将来像委員会第一次報告）といわれています。そして、その中心・中核である「社会保険とは何か」という問いに対する答えとして、『平成24年版厚生労働白書』（39〜40ページ）から抜粋した文章を掲げて、この入門講義を終わりたいと思います。

社会保険とは、誰しも人生の途上で遭遇する様々な危険(傷病・労働災害・退職や失業による無収入～これらを「保険事故」、「リスク」という)に備えて、人々が集まって集団(保険集団)をつくり、あらかじめお金(保険料)を出し合い、それらの保険事故にあった人に必要なお金やサービスを支給する仕組みである。

　この場合、どのような保険事故に対し、どのような単位で保険集団を構成し、どのような給付を行うかは様々であるが、公的な社会保険制度では、法律等によって国民に加入が義務付けられるとともに、給付と負担の内容が決められる。

　現在、日本の社会保険には、病気・けがに備える「医療保険」、年をとったときや障害を負ったときなどに年金を支給する「年金保険」、仕事上の病気、けがや失業に備える「労働保険」(労災保険・雇用保険)、加齢に伴い介護が必要になったときの「介護保険」がある。

　社会保険方式は、保険料の拠出と保険給付が対価的な関係にあり、保険料負担の見返りに給付を受けるという点において、税方式の場合よりも、給付の権利性が強いといえる。実際、医療保険で医療サービスを受けるように、給付を受けることが特別なことではなく、当たり前のことというイメージをもち、その受給に恥ずかしさや汚名(スティグマ)が伴わないというメリットがある。

　また、財源面でも、会計的に保険料負担(収入)と給付水準(支出)とが連動していることから、一般財源としての租税よりも、給付と負担の関係について、国民の理解が得られやすい側面がある。

社会保険制度は、保険料を支払った人々が、給付を受けられるという自立・自助の精神を生かしつつ、強制加入の下で所得水準を勘案して負担しやすい保険料水準を工夫することで、社会連帯や共助の側面を併せ持っている仕組みである。

　社会保険の導入は、保険によるリスクの分散という考えに立つことで、社会保障の対象を一定の困窮者から、国民一般に拡大することを可能としたものといえる。

　このように、自立・自助という近現代の社会の基本原則の精神を生かしながら、社会連帯の理念を基盤にしてともに支え合う仕組みが社会保険であり、自立と連帯という理念に、より即した仕組みであるといえる。

問題演習

問題演習について

問題演習をやろう！！

　受験勉強のオーソドックスな流れとしては、入門講義などを通して試験科目の全体を概観した後、各試験科目（各法律）についてじっくりと掘り下げて勉強していくことになります。その際に、同時に問題演習をやっていくのが合理的です。問題にチャレンジすることで、理解が深まったり、あるいは理解の足りなかったところが認識されたりするのです。また、問題を解き、解答解説をていねいに読み込むプロセスで、基本事項や試験対策上の重要事項が、よりリアルに記憶されていき、確かな知識となっていくのです。

　ここでは、本試験対策としての問題演習の必要性と、実践的な方法について、具体的に説明していきます。

ナンデ？──問題演習が必要なワケ

　社労士試験は、法律の試験です。その試験でまず問われるのは、試験範囲とされているそれぞれの法律の趣旨・目的や考え方、それを踏まえた上で各規定の意味するところを、正しく理

■社労士の受験勉強≠暗記?!

☆基本テキストの読み込み（読む ＋ 考える → 理解 & 記憶）!!

&

☆問題演習（考えて解く → 理解を深める & 記憶の定着）!!

解して記憶しているか、ということです。ある法律のある規定
（条文）を単に知っていますか？　ではありません。たしかに、
基本事項の数字や語句を断片的に暗記した知識だけで対応でき
る問題も少なからず出題されます。そしてこの類の問題は合格
するためには絶対に取りこぼしが許されません。しかしまた、
それだけ出来たとしても合格に至らないのも事実です。「この
ケースにこの規定は適用されるのか？」「この規定はこのケー
スにどのように適用されるのか？」という応用問題、つまり
「考えて解く」という問題が必ず出題され、その成否が最終的
には合否を分けることになるのです。

　「考えて解く」チカラ、これこそ合格を目指す受験生が身に
つけるべき実力だと考えます。そして、この実力を身につける
には問題演習が必須となるのです。

ある受験生からのクレーム?!

　「今年のこの問題の答え、テキストに載ってなかったですよ
ね!!」なるほど、その答えとなるべき用語そのものはテキスト
に載っていませんでした。でもね……。

本試験を受け終わった直後の受験生のみならず、これから受けようとする受験生が、本試験の問題（過去問）の解答にあたる部分が今自分の使っている（使っていた）テキストのどこに記載されているかをチェックするのはごく自然な行為です。ただ、該当する記載がないからといってテキストに不安を抱いたり、ましてや不信の念を抱いたりするのは早計です。

　定評のある優れた市販テキストや受験機関の基本テキストというものは、ナンデモカンデモ記載されているというのではなく、合格に必要な事項・内容をある程度絞り込んで、理解しやすいように、記憶しやすいように書かれているものです。そして、そこには「ズバリ的中！」とはならなくても、正解にたどり着く思考プロセスやヒントとなる記述があるものです。暗記という作業に没頭していると、このあたりを読み取ることができません。

　問題演習を通して、「考えて解く」→「考えて読む」という意識を再認識してください。

社労士試験の出題形式は？

　社労士試験は、8問の選択式問題（80分）と、70問の択一式問題（210分）で実施されます。

　選択式問題は、1問につき、問題文に5つの空欄があり、それぞれに入れるべき適切な語句を、選択肢（原則20個）の中から選ぶという形式です。択一式問題は、1問につき、5つの問

■社労士試験の出題形式

```
選択式問題 ┐  ◎問題文をていねいに読む！
          │
択一式問題 ┘  ◎真正面から立ち向かう！
```

題文の中から正しいもの、または誤っているものを選ぶという
形式がこれまでは一般的でした。

最近の試験傾向、その特徴は？

　最近は選択式、択一式問題ともに長文化傾向にあり、内容的
には基本事項の理解に根ざした知識とその応用力を問う問題
（事例問題等）が多くなってきたといえます。また、択一式問
題では、5つの問題文（5肢）から正解肢を1つ選ぶ（択一）
という従来の形式に加え、5つの問題文から正しいもの、また
は誤っているものの組合せを問う形式や、5つの問題文のうち
正しいもの、または誤っているものの数を問う形式の出題も見
られるようになってきました。問題文をしっかり読んで、考
えて答えさせるといった試験傾向にあると私は思っています。
「安易な機械的な暗記じゃあ、合格させないよっ！」とでもいっ
ているようです。

何か特別な対策はあるの？

そんな試験傾向ですから「こうやればラクラク問題が解ける！」みたいな、魔法のような（ウソッぽい）対策は、残念ながら私にはお話しできません。問題文をていねいに読んで、真正面から立ち向かっていくという愚直なやり方を、具体的に示せるだけです。でも、それこそが本物の実力を身につける最善の方法だという確信はあります。

問題演習の極意ッていうか注意事項 その1──横着しないこと！

演習問題を前にして、必ず「紙と鉛筆」を用意すること。特に五肢択一などの正誤問題では、正解肢を選んで、または○か×かを決めてすぐに解答を見るのではなく、問題文1つ1つにつき、×と判断したなら、×の理由や誤っている用語・数字を紙に書き出して、さらに正しい内容や用語・数字も紙に書き出してみる。○と判断したなら、その問題文のポイントやキーワードを書き出してみる。そのうえで解答解説を読み、正誤の判断に至る自分の思考プロセスが間違っていないかをチェックすることが大切です。もし間違っていれば、あるいは判断できずに書き出すことができなかったのであれば、解答解説のポイントなどを赤ペンで書き出してみることも忘れずにやってください（鉛筆だけでなく赤ペンのご用意も！）。

📝 問題演習の極意?!

その1. 横着しないこと
　　　──→ 頭も使って手も使う。
その2. 作業にならないこと
　　　──→ 「考える」ことを怠らない。

　要は、自分の頭の中にある知識や理解を問題演習を通して客観的にチェックすることが大事なのです。ナントナク○、ナントナク×、そしてナントナク解説を読んでいるだけでは、本当の実力はつきません。問題演習は、「頭も使って手も使う」のです！　横着は禁物です。

その2──作業にならないこと！

　問題演習は、繰り返し行うことも大切です。私は受験生時代、通っていた学校の定期テスト、答練そして模試の問題を本試験前日まで繰り返し、都合5回ほど回しました。そのときに心がけたのは、毎回横着せずに、ある意味愚直に紙にポイントを書き出すこと、その際に問題文のベースになっている条文や判例の趣旨などを必ず今一度考えてみることでした。そうすることで、繰り返し行う問題演習が単なる機械的な手作業にならないように注意したわけです。この手の作業が勉強だとカンチガイしている受験生が結構見受けられるので、くれぐれもお気をつけください。また「同じ問題を繰り返していると、正解肢がCだとか、その問題がマルだとかバツだとか覚えちゃうから、ど

うなんでしょうかねェ～」と言われることがあります。「ナニ言ってんの?!」と思わず口に出そうになりますが、グッとこらえて「あのですね、正解肢を覚えちゃうとかじゃなくて、1つ1つの問題文のポイントが正しく指摘できるか、その問題文のベースになっている条文や判例などを正しく理解して記憶できているかをチェックすることが大事なんですよ。正解肢のアルファベットを暗記していることの確認ではありませんから」と優しい口調でキツく応じるようにしています。

問題演習のやり方

　問題演習の具体的なやり方、解答例を示しておきます。勉強の一環として行う問題演習は、本試験や学校のテストと違って、制限時間があるわけではありません。択一式であれ選択式であれ、問題文はテキストの文章と同じように、ていねいに読み込むことを心がけてください。そして「これまでに得た理解と知識に基づいて解答する」ことをしっかり意識することです。そのためには、解答に際してポイントになる事項、語句や数字を書き出してみることが有効なのです。

　要は、自分自身で客観的に理解や記憶を確認できればよいのです。書き出す分量も含め、あまりにていねい過ぎて時間のかけ過ぎにならないよう注意してください。くり返しますが、くれぐれも作業にならないように気をつけてください。

〔問題〕労働基準法に定める賃金等に関する次の記述のうち、正しいものはどれか。

A 使用者は、賃金を通貨で支払わなければならないが、当該事業場の労働者の過半数で組織する労働組合があるときはその労働組合、労働者の過半数で組織する労働組合がないときは労働者の過半数を代表する者との書面による協定がある場合においては、通貨以外のもので支払うことができる。

B 使用者は、賃金を、銀行に対する労働者の預金への振込みによって支払うためには、当該労働者の同意を得なければならない。

C 使用者は、1か月を超える期間の出勤成績によって支給される精勤手当について、毎月1回以上支払わなければならない。

D 賃金は、直接労働者に、支払わなければならないが、未成年者の親権者又は後見人は、その賃金を代わって受け取ることができる。

E 使用者は、賃金の全額を支払わなければならないが、労働協約に別段の定めがある場合に限って、賃金の一部を控除して支払うことができる。

(H20-問3)

―解答例―

A× 通貨払の原則⇔例外(現物給与)は要・労働協約!

B○ 預金への振込みは同意で可。様式(書面等)は不問

C× 1か月を超える期間!? 毎月1回以上はムリ!

D× 直接払の原則→親権者・後見人等の代理人不可!
　　cf.「使者」は可、未成年者→親権者・後見人の代理受領も禁止

E× 全額払の原則⇔例外(一部控除)は要・労使協定
　　or 法令に別段の定め。cf.A!!

★なぜ○か、×かを簡潔にメモする。

★書き出す内容は必要最小限でよい。

★他人に見せるものではないので、なぐり書きでかまわない。

択一式問題にチャレンジ！

　それではまず、択一式試験の実践問題にチャレンジしてみてください。各法律の絶対おさえておかなければならない最重要項目からの出題です。本試験レベルの問題ですから、本書の「入門講義」では触れていない内容からも出題しています。そこで——

● まったくの初学者の方

　問題を読んで、すぐに解答・解説を見ていただいてかまいません。ここでは、実際の試験問題の切り口とはどんなものかを知っていただき、また、入門講義では触れられなかった重要事項について解説を読みながら学習していただければと思います。

● ひと通り基本事項の勉強が終わっている方

　まさにチャレンジ！　そして、この演習を通して基本事項の理解を深め、記憶の定着も図ってください。

択一式問題

労働基準法

〔問題〕労働基準法に関する次の記述のうち、正しいものはどれか。

A　労働基準法の労働者は、民法第623条に定める雇用契約により労働に従事する者がこれに該当し、形式上といえども請負契約の形式を採るものは、その実体において使用従属関係が認められる場合であっても、労働基準法の労働者に該当することはない。

B　労働基準法第20条では、使用者は、労働者を解雇しようとする場合においては、少なくとも30日前の予告をしなければならないと規定しているが、これは雇用契約の解約予告期間を2週間と定める民法第627条第1項の特別法に当たる規定であり、労働者側からする任意退職についても、原則として30日前の予告が必要であると解されている。

C　最高裁判所の判例によると、労働基準法第24条第1項本文の定めるいわゆる賃金全額払の原則の趣旨とするところは、使用者が一方的に賃金を控除することを禁止し、もって労働者に賃金の全額を確実に受領させ、労働者の経済生活を脅かすことのないようにしてその保護を図ろうとするものというべきであるから、使用者が労働者に対して有する債権をもって労働者の賃金債権と相殺することを禁止する趣旨をも包含するものである、とされている。

D　ビルの巡回監視等の業務に従事する労働者が実作業に従事していない仮眠時間については、労働基準法第32条に規定されている労働時間に当たることはないとするのが最高裁判所の判例である。

E 労働基準法第90条第１項において、使用者は、就業規則の作成だけでなく、その変更についても、当該事業場に労働者の過半数で組織する労働組合がある場合にはその労働組合、労働者の過半数で組織する労働組合がない場合には労働者の過半数を代表する者の意見を聴かなければならないとされているが、この規定に反しても罰則が科されることはない。

出題の意図

　細かい知識を問うというのではなく、**労基法の基本的な考え方**や、基本事項の理解がしっかりマスターできているかを問う問題としました。正解肢を選ぶという点だけで見れば、さほどむずかしい問題ではありませんが、各問題文のベースとなっている条文の趣旨や判例のいわんとするところは、ていねいに学習しておいてください。

解答・解説

正解　C

A（×）

　労基法第９条の労働者に該当するか否かの判断は、個々の実態に即して行う必要があるとされています。形式上は請負契約の形式を採るものであっても、その**実体**において**使用従属関係**が認められるときは、労基法第９条の「労働者」に該当します。契約の**名称や形式**など、強者たる使用者によって**恣意的な操作が可能なもの**を判断基準としてしまったら、弱者たる労働者の保護が果たされないことを考えてください。みなさんが社労士の試験勉強で学ぶ法律においては、適用等の判断基準は、常に形式ではなく実質・実体であることを忘れないでください。

B（×）

　解雇とは、使用者がその一方的な意思表示によって労働契約を解約することです。そして、その突然の解雇から労働者が被る生活への重大な影響を緩和するために、少なくとも30日間の予告期間を設けることや、それに代わる30日分以上の平均賃金を予告手当として支払うことを、労基法第20条が使用者に義務づけているのです。この点で設問文が、同法同条が「雇用契約の解約予告期間を２週間と定める民法第627条第１項

の特別法に当たる規定であ」るといっている点は間違ってはいません。しかし、その後に続く「労働者側からする任意退職についても、原則として30日前の予告が必要であると解され」る理由はありません。労働者を保護するために使用者に義務づけられたものが、労働者にも義務づけられるというのでは本末転倒です。この種の問題には、くれぐれも引っ掛からないように注意してください。

C（○）

　設問の最高裁判例（最二小平成2.11.26日新製鋼事件）のいう労基法第24条第1項本文の定める賃金全額払の原則の趣旨が「労働者に賃金の全額を確実に受領させ、労働者の経済生活を脅かすことのないようにしてその保護を図ろうとするもの」という点はしっかりおさえておいてください。そして、実質的に労働者の経済生活を脅かすことがなければ、賃金の一部を控除することや、「使用者が労働者に対して有する債権をもって労働者の賃金債権と相殺すること」も許される場合があり得るということも理解しておいてください。設問の判例は問題文にある内容に続けて「労働者がその自由な意思に基づき当該相殺に同意した場合においては、当該同意が労働者の自由な意思に基づいてなされたものであると認めるに足りる合理的な理由が客観的に存在するときは、当該同意を得てした相殺は当該規定に違反するものとはいえないものと解するのが相当である」といっています。

D（×）

　設問の仮眠時間についても、「労働からの解放が保障されていない場合には労働基準法上の労働時間に当たる」とするのが最高裁判所の判例です。最高裁判例では、労基法上の労働時間とは、「労働者が使用者の指揮命令下に置かれていると客観的に評価できる時間」と定義しています。したがって、労働者が実作業に従事していないというだけでは、使

用者の指揮命令下から離脱しているということはできず、当該時間に労働者が労働から離れることを保障されていて初めて、労働者が使用者の指揮命令下に置かれていないと評価することができるとするのが、最高裁判所の判例です。

E（×）

　労基法第90条第1項に定める意見聴取義務に違反した場合は、30万円以下の罰金に処せられます。設問にあるように、使用者は、就業規則の作成についてはもちろんのこと、その変更についても、当該事業場に労働者の過半数で組織する労働組合がある場合にはその労働組合、労働者の過半数で組織する労働組合がない場合には労働者の過半数を代表する者の意見を聴かなければならないとされています（法90条1項）。なお、この趣旨は、就業規則の作成・変更に労働者の意見を反映させることにあるわけですが、あくまでも意見を聴けば足り、協議することや同意を得ることまでは求められていません。労基法上の手続という面では、使用者は労働者が反対しても一方的に就業規則を作成し変更することができるという点は、しっかりおさえておいてください。

労働者災害補償保険法

〔問題〕労働者災害補償保険法（以下「労災保険法」という。）に
関する次の記述のうち、正しいものはどれか。

A　インターンシップにおいて直接生産活動に従事しその作業の利
益が当該事業場に帰属し、かつ事業場と当該学生との間に使用従
属関係が認められる場合であっても、当該学生に労災保険法が適
用されることはない。

B　工場に勤務する労働者が、作業終了後に更衣を済ませ、班長に
挨拶して職場を出て、工場の階段を降りる途中に足を踏み外して
転落して負傷した場合、業務災害と認められる。

C　業務に関連する疾病であれば、労働基準法施行規則別表第1の
2の各号に掲げられている疾病のいずれにも該当しないものであっ
ても、業務上の疾病と認められる場合がある。

D　労災保険法第14条に規定する休業補償給付の支給について、傷
病が当日の所定労働時間内に発生し、所定労働時間の一部につい
て労働することができない場合に、平均賃金と実労働時間に対し
て支払われる賃金との差額の60％以上の金額が支払われたとき
は、当該日は、同条第1項の「療養のため労働することができな
いために賃金を受けない日」に該当しない。

E　労働者が、故意に負傷、疾病、障害又は死亡の直接の原因となっ
た事故を生じさせたときは、政府は、保険給付の全部又は一部を
行わないことができる。

出題の意図

　基本的な問題ではありますが、その内容についてはしっかりと理解しておいてほしい事項をふまえた出題としました。たとえばAについては、労災保険で保護される適用労働者となる大前提は、労基法上の労働者であることを確認してください。Bは、最近の出題傾向である事例問題で、令和4年の本試験問題からの引用です。

解答・解説

正解　B

A（×）

　当該事業場と当該学生との間に（実体として）使用従属関係が認められる場合には、当該学生には労災保険法が適用されます。労基法の考え方と同じです。したがって、インターンシップにおいての実習が見学や体験的なものであり、使用者から業務に係る指揮命令を受けていると解されないなど使用従属関係が認められない場合には、当該学生は労基法第9条に規定される労働者には該当せず、労災保険法が適用されることはありません（平成9.9.18基発636号）。

B（○）

　設問のように、事業場施設内における業務を終えた後の退勤で、「業務」と接続しているものは、業務そのものではありませんが、業務に通常付随する準備後始末行為と認められるので、業務災害と認められます（昭和50.12.25基収1724号）。なお、業務災害とは、業務と災害との間に相当因果関係がある場合をいうのであり、その判断基準として、「業務遂行性」と「業務起因性」が示されています。「業務遂行性」とは、労働者が労働契約に基づいて事業主の支配下にある状態をいい、「業務起

因性」とは、業務に内在する危険性が現実化したと経験法則上認められることをいいます。

C（×）

労働基準法施行規則第35条において、「業務上の疾病は、別表第1の2に掲げる疾病とする。」と規定されているので、問題文にある「業務に関連する疾病」であっても、同別表各号に掲げられている疾病のいずれにも該当しないものは、業務上の疾病と認められることはありません。なお、同別表第1の2には、まず第1号に「業務上の負傷に起因する疾病」と規定され、第2号から第9号までは具体的な疾病名を挙げて規定されており、第10号には「前各号に掲げるもののほか、厚生労働大臣の指定する疾病」、そして最後に第11号として「その他業務に起因することの明らかな疾病」と規定されています。ちなみに、「通勤による疾病」は、労災保険法第22条において「厚生労働省令で定めるものに限る」とされており、労災保険法施行規則第18条の4において、「通勤による負傷に起因する疾病その他通勤に起因することの明らかな疾病」と規定されています。また、「複数業務要因災害による疾病」は、労災保険法第20条の3において「厚生労働省令で定めるものに限る」とされており、労災保険法施行規則第18条の3の6において「労働基準法施行規則別表第1の2第8号及び第9号に掲げる疾病その他2以上の事業の業務を要因とすることの明らかな疾病」と規定されています。なお「第8号」の疾病とは「脳・心臓疾患（過労死等）」に係る疾病であり、「第9号」の疾病とは「心理的負荷による精神障害（過労自殺等）」に係る疾病です。

D（×）

休業補償給付は休業の第4日目から支給されます。支給されるまでの3日間（待期といいます）については、問題文にあるとき（「60％以上

の金額が支払われたとき」）であっても、それは「特別の事情がない限り、（労働基準法の規定による）休業補償が行われたものとして取扱う」こととなるので、当該日は「療養のため労働することができないために賃金を受けない日」となるものとされ（「休業補償」は「賃金」ではないからです）、待期期間に算入されます（昭和40.9.15基災発14号）。

E（×）

労災保険法第12条の2の2,1項では「労働者が、故意に負傷、疾病、障害若しくは死亡又はその直接の原因となった事故を生じさせたときは、政府は、保険給付を行わない」とされています（設問では「その直接の原因となった事故」の部分を取り出して問題としました）。行政解釈によれば、この場合における故意とは、結果の発生を意図した故意をいいます。「保険給付を行わない」としているのは、業務または通勤と事故との因果関係が故意によって中断されるからです。つまり、もはや業務災害、複数業務要因災害または通勤災害とはいえないので、労災保険の対象外となるということです。なお、業務上の精神障害によって、正常な認識、行為選択能力が著しく阻害され、または自殺行為を思いとどまる精神的な抑制力が著しく阻害されている状態で自殺が行われたと認められる場合には、結果の発生を意図した故意には該当しない取扱いとされています（平成11.9.14基発545号）。

雇用保険法

〔問題〕雇用保険法に関する次のアからオの記述のうち、正しいものはいくつあるか。

ア　株式会社の取締役であって、同時に会社の部長としての身分を有する者が、報酬支払等の面からみて労働者的性格の強い者であって雇用関係があると認められる場合には、他の要件を満たす限り被保険者となるが、株式会社の代表取締役が、被保険者となることはない。

イ　適用事業に就職した日から離職した日までの1年6箇月の間に被保険者期間が通算して12箇月ある者が失業したときは、倒産・解雇等による離職者や特定理由離職者でなくても、基本手当の受給資格を取得する。

ウ　倒産・解雇等による離職者や特定理由離職者が基本手当の受給資格を取得したときは待期期間が3日とされ、当該基本手当の受給資格に係る離職後最初に公共職業安定所に求職の申込みをした日以後において、失業している日が通算して7日になった日以降に受給することができる。

エ　甲会社からの離職により失業した受給資格者が、乙会社に就職して再就職手当の支給を受けたときには、その後すぐに乙会社が倒産したため新たな受給資格を取得することなく再び離職により失業した場合であっても、甲会社からの離職に基づく基本手当の支給を受けることはできない。

オ　高年齢再就職給付金は、基本手当の支給残日数が200日以上である被保険者については、65歳に達する日の属する月よりも後の月について支給されることがある。

A（一つ）　　B（二つ）　　C（三つ）　　D（四つ）　　E（五つ）

出題の意図

　雇用保険法の勉強も、まずは**基本的な枠組み**をおさえることが大切です。具体的には、「**一般被保険者**」を原則とする被保険者の種類と、**基本手当の原則的な受給資格要件・受給期間・所定給付日数**をおさえることです。また、雇用保険法に限りませんが、用語としては覚えていてもその趣旨がわかっていないと思わぬ間違いをしてしまうことがあります。これらをふまえた問題を作ってみました。

解答・解説

正解　B（アとイの2つ）

ア（○）

　雇用保険法において被保険者となるには、事業主との間に**実体としての雇用関係**があることが必要です。株式会社の代表取締役や個人事業の事業主には**雇用関係**が認められないので、これらの者が被保険者となることはありません（行政手引20351）。なお、労基法や労災保険法の適用の前提となる「使用従属関係」と「雇用関係」とは、視点の異なる概念なので、言葉の使い分けには注意してください。

イ（○）

　基本手当は、被保険者が失業した場合において、原則として、**離職の日以前2年間**に、**被保険者期間が通算して12箇月以上**であったときに支給されます（法13条1項）。この「**離職の日以前2年間**」は、**被保険者期間を算定する対象**として設けられた期間であり、離職の日以前の2年間が被保険者であったことは要しません。たとえば、就職日から離職日まで1年間しかなくても、その1年間で被保険者期間が12箇月あれば、この受給資格要件は満たしたことになります。なお、**倒産・解雇等によ**

る離職者や特定理由離職者は、離職の日以前１年間に被保険者期間が通算して６箇月以上あれば、受給資格が認められます（法13条２項）。

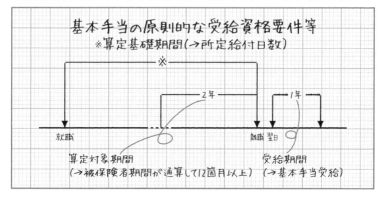

ウ（×）

　倒産・解雇等による離職者や特定理由離職者が基本手当の受給資格を取得したときの待期期間も通算して７日です（法21条）。この待期の制度は、失業した労働者の生活の安定を図るため所得保障の必要があるといえる程度の失業状態にあるか否かを確認するためと、基本手当の受給の濫用を防ぐために設けられたものです。したがって、倒産・解雇等による離職者や特定理由離職者だったからといって、つまり離職理由に応じて、この待期期間を短縮する必然性はありません。

エ（×）

　再就職手当を支給したときは、当該再就職手当の額を基本手当日額で除して得た日数に相当する日数分の基本手当を支給したものとみなすとされています（法56条の３,５項）。つまり、再就職手当の支給を受けたからといって、基本手当の支給残日数がゼロになるわけではないのです。したがって、再就職手当の支給を受けて就職した者が、新たな受給

資格を得ることなく前の受給資格に係る受給期間内に再び失業した場合には、当該基本手当の支給残日数から再就職手当の額に相当する日数分を差し引いた日数分の基本手当を受給することができる場合があるのです。

オ（×）

高年齢再就職給付金が65歳に達する日の属する月よりも後の月について支給されることはありません。そもそも高年齢雇用継続給付は、高齢者の就業意欲を維持・喚起して、公的年金の老齢年金の支給開始年齢である「65歳」までの雇用の維持を援助、促進しようとするものであることを確認してください。

健康保険法

〔問題〕健康保険法に関する次のアからオの記述のうち、正しいものはいくつあるか。

ア　健康保険組合が設立された適用事業所（以下「設立事業所」という。）の事業主およびその設立事業所に使用される被保険者は、当該健康保険組合の組合員となるが、健康保険組合の設立に同意しなかった被保険者は、当該健康保険組合の承認を受けて、全国健康保険協会（以下「協会」という。）の被保険者となることができる。

イ　被保険者の数が5人未満である適用事業所に所属する法人の役員で業務執行権を有する者は、業務遂行の過程において業務に起因して生じた傷病が健康保険による保険給付の対象となる場合があるが、その業務は、当該法人における従業員（健康保険法第53条の2に規定する法人の役員以外の者をいう。）が従事する業務と同一であると認められるものとされている。

ウ　育児休業、介護休業等育児又は家族介護を行う労働者の福祉に関する法律に規定する介護休業をしている被保険者が使用される事業所の事業主が、厚生労働省令で定めるところにより保険者等に申出をしたときは、その介護休業を開始した日の属する月からその介護休業が終了する日の翌日が属する月の前月までの期間、当該被保険者に関する保険料は徴収されない。

エ　被保険者が闘争、泥酔又は著しい不行跡によって給付事由を生じさせたときは、当該給付事由に係る保険給付が行われないことがある。

オ　適用事業所に使用される一般の被保険者であって傷病手当金の支給を受けることができる者が、老齢又は退職を支給事由とする年金である給付であって政令で定めるものの支給を受けることができるときは、傷病手当金は支給されない。

A（一つ）　　B（二つ）　　C（三つ）　　D（四つ）　　E（五つ）

出題の意図

　健康保険法の全体を見据えたときに、必ずおさえておかなければならないポイント、考え方について出題しました。他の法律と共通する考え方であったり、関連する事柄であったりするときは、その点をしっかり意識して、たとえば、それぞれのテキストの該当箇所を並べてチェックするなど、ていねいな学習を心がけてください。

解答・解説

正解　B（イとエの2つ）

ア（×）

　適用事業所の事業主は、健康保険組合を設立しようとするときは、健康保険組合を設立しようとする適用事業所に使用される被保険者の2分の1以上の同意を得て、規約を作り、厚生労働大臣の認可を受けなければならないとされています（法12条1項）。そして、健康保険組合が設立されると、その効果は包括的に及び、この設立に同意しなかった被保険者も当該健康保険組合の組合員となります（法17条1項）。なお、この健康保険組合のほか、雇用保険や健康保険、厚生年金保険で適用事業所以外の事業所が適用事業所となる際の同意要件が満たされたときにも、それぞれ不同意であった者も含めて包括的に効果が生じる点に注意してください。つまり、いずれも不同意であった者を特別に扱う規定は設けられていないのです。

イ（○）

　労災保険法では、業務執行権を有する法人の役員は使用従属関係が認められないので、その適用を受ける「労働者」として取り扱われません。これに対して、健康保険法では、業務執行権を有する法人の役員であっ

ても当該法人から労働の対償として報酬を受けるものは「被保険者」として取り扱われます。それは、給付事由に使用従属関係は前提とされていないからです（法1条）。当該役員の、役員としての業務に起因する疾病、負傷又は死亡については、（当該役員は労働者ではないから）労災保険法の「業務災害」に該当しないので、その保険給付は行われません。しかし、健康保険からも保険給付が行われない旨が規定されています（法53条の2）。ただし、被保険者の数が5人未満である適用事業所において、その法人の役員としての業務であっても、当該法人における従業員が従事する業務と同一であると認められるものであるときは、これに起因する疾病、負傷または死亡に関して、健康保険で保険給付を行うこととしています（則52条の2）。

ウ（×）

「保険料は徴収されない（徴収しない）」とは、保険料の免除のことをいっているのはおわかりですよね（念のため）。一般に、保険料の免除とは、いわば例外的な扱いなので、法律に規定されている場合に限り、その対象となります。健康保険法では、産前産後休業や育児休業等をしている被保険者については、子育て支援という観点から保険料免除の対象になりますが、「介護休業」をしている被保険者については保険料免除の対象になっていません（法159条）。また、疾病、負傷または出産につき保険給付（傷病手当金および出産手当金の支給にあっては、厚生労働省令で定める場合に限る）が行われない少年院等に収容されている期間や刑事施設等に拘禁されている期間も、保険料免除とされています（法158条）。なお、一般に「保険料の免除」の制度は、強制加入（したがって強制徴収）の被保険者であることが前提となるので、任意継続被保険者など、その加入が任意の被保険者には、原則として、適用がありません。

エ（〇）

　問題文の根拠となる健保法第117条は「保険給付は、その全部又は一部を行わないことができる」と規定しています。したがって、問題文の「保険給付が行われないことがある」という記述は、条文の内容に矛盾なく当てはまります。条文の字面の暗記だけではなく、その意味内容もしっかり理解していることが大切です。なお、同法第116条の「故意に給付事由を生じさせたときは、当該給付事由に係る保険給付は、行わない」という規定は、その考え方は、労災保険法、国民年金法、厚生年金保険法と共通するものですが、同条の「自己の故意の犯罪行為により給付事由を生じさせたとき」にも「保険給付は、行わない」とする点は健康保険法や国民健康保険法などに特有のものなので注意してください。

オ（×）

　いわば現役の「一般の被保険者」については、傷病手当金と老齢退職年金給付との併給調整は行われません。なお、被保険者資格を喪失後に傷病手当金の継続給付を受給している者が、老齢退職年金給付の支給を受けることができるときは、併給調整が行われ、傷病手当金は支給されません。ただし、その受けることができる老齢退職年金給付の額を360で除して得た額が、傷病手当金の額より少ないときは、その差額が傷病手当金として支給されます（法108条5項）。考え方が共通する報酬との調整、障害厚生年金との調整、労災保険の休業補償給付との調整についても確認しておいてください。

国民年金法

〔問題〕国民年金法に関する次の記述のうち、正しいものはどれか。

A 65歳以上の厚生年金保険の被保険者であって、老齢又は退職を支給事由とする年金給付の受給権を有さず障害を支給事由とする年金給付の受給権を有しているものによって生計を維持する20歳以上60歳未満の配偶者であって、日本国内に住所を有する者は、第3号被保険者とはならない。

B 国民年金制度は、定額保険料、定額給付なので、より高い給付額を望む第1号被保険者および第3号被保険者は、厚生労働大臣に申し出て、付加保険料を納付することができるが、保険料の免除規定により保険料の全部又は一部の額の納付を要しないものとされている者および国民年金基金の加入員は、付加保険料を納付することができない。

C 老齢基礎年金の支給の繰上げの請求をした場合であっても、振替加算は繰上げ支給されることはないが、振替加算の受給対象者が老齢基礎年金の支給の繰下げの申出をしたときは、振替加算も繰下げ支給され、当該振替加算額に政令で定める増額率を乗じて得た額が加算される。

D 既に障害の状態にある者が、新たに発生した傷病（「基準傷病」という。）に係る障害認定日から65歳に達する日の前日までの間に、基準傷病による障害と基準傷病の初診日以前に初診日のある他の障害とを併合して、初めて障害の程度が2級以上に該当した場合には、基準傷病の初診日の前日において保険料納付等の要件を満たしていることを条件として、障害基礎年金の受給権が発生する。なお、当該障害基礎年金の支給は、その請求があった月の翌月から始めるものとされている。

E 被保険者であった者であって60歳以上65歳未満の日本国内に住所を有しないものが死亡したときは、遺族基礎年金が支給されることはない。

出題の意図

　いずれも基本事項に関する問題ではありますが、その趣旨、理由、他の似て非なる規定など、しっかりポイントをおさえて学習することが特に大切な事項で作問しました。基本事項だからこそ、きちんと理解して、記憶にとどめるようにしてください。

解答・解説

正解　D

A（×）

　設問の配偶者は、第3号被保険者となります。65歳以上の厚生年金保険の被保険者は、老齢又は退職を支給事由とする年金たる給付であって政令で定める給付の受給権を有していなければ、障害を支給事由とする年金給付の受給権を有していても、第2号被保険者となることを確認しておいてください（法7条1項2号、3号）。

B（×）

　「第3号被保険者」は、付加保険料を納付することができません（法87条の2、1項）。そもそも「付加」という言葉は本体の存在が前提です。つまり、「付加保険料」を納付することができるためには、本体たる国民年金の保険料（の納付義務）が存在しなければなりません。したがって、国民年金の保険料の納付義務のない第2号被保険者および第3号被保険者は、付加保険料を納付することができないわけです。国民年金に任意加入した被保険者も、保険料の納付義務があるので、付加保険料を納付することができますが、65歳以上70歳未満の特例による任意加入被保険者は、付加保険料を納付することができないことになっています。なお、国年法第43条の「付加年金」、労基法第114条の「付加金の支払」、

健保法第53条の「健保組合の付加給付」も、それぞれその本体が何であるかを確認しておいてください。

C（×）

問題文の前段は正しいが、後段が誤り（（60）法附則14条1項、2項）。振替加算の受給対象者が老齢基礎年金の支給の繰下げの申出をしたときは、振替加算も繰下げ支給されますが、問題文のような加算は行われません。なお、老齢基礎年金の繰上げ・繰下げに絡めて、振替加算と付加年金の扱いの相違点が問われることがあるので、混乱しないように整理しておくことが大切です。ちなみに、振替加算のモトは、所定の要件を満たした老齢厚生年金の受給権者等の年金額に、その生計を維持する65歳未満の配偶者を対象にして加算される加給年金額であることはお忘れなく。

D（○）

問題文は、国年法第30条の3に規定する基準傷病に基づく障害による障害基礎年金からの出題です。ポイントは2つ、①この障害基礎年金は、65歳に達する日の前日までの間に併合して初めて障害等級2級以上の障害の状態に該当するに至ったときに、その受給権が発生するので、その受給権が発生した月の翌月から支給が開始されるはずなのですが（法18条1項参照！）、同条第3項により「その請求のあった月の翌月から支給が開始される」とされている点にまず注意してください。そして、②前述のように65歳に達する日の前日までの間に、所定の要件を満たして受給権が発生している限り、その「請求」は65歳以後であっても行うことができるのです。

このポイント②は、事後重症による障害基礎年金（法30条の2）との違いに注意が必要です。事後重症による障害基礎年金は、「請求」をその支給要件とする、いわゆる請求年金であることを確認しておいてくだ

さい。

囫基準傷病に基づく障害による障害基礎年金

既存障害＋基準障害＝初めて2級以上に該当＝受給権発生 ➡請求⇒その翌月から支給開始

基準障害の認定日以後65歳に達する日の前日まで

E（×）

　問題文にある者であっても、原則として、保険料納付済期間と保険料免除期間を合算した期間を25年以上有していれば、所定の要件を満たす遺族に遺族基礎年金は支給されます。国年法第37条には死亡者の要件を4つ挙げ、そのいずれかに該当する場合に支給すると規定しています。各要件がオーバーラップする場合もイメージしておさえておくことが大切です。

厚生年金保険法

〔問題〕厚生年金保険法に関する次の記述のうち、正しいものはどれか。

A　株式会社の代表取締役は被保険者となることはないが、代表取締役以外の取締役は被保険者となることがある。

B　65歳からの老齢厚生年金（その年金額の計算の基礎となる被保険者期間が240月以上であるものとする。）の額は、受給権者によって生計を維持しているその者の65歳未満の配偶者があるときは、加給年金額を加算した額とされる。

C　障害厚生年金の額については、老齢厚生年金の額の規定の例により計算した額とし、当該障害厚生年金の支給事由となった障害に係る障害認定日の属する月以後における被保険者であった期間は計算の基礎としないが、被保険者期間の月数が300に満たないときは300として計算する。

D　老齢厚生年金の受給権者の死亡に係る遺族厚生年金の額の計算においては、給付乗率は一律で、生年月日に応じた乗率が適用されることはないが、計算の基礎となる被保険者期間の月数には300月の最低保障が適用される。

E　被保険者の死亡の当時、その者によって生計を維持していた50歳の夫と15歳の子が遺族基礎年金の受給権を取得した場合、夫には遺族基礎年金が支給され、子には遺族厚生年金が支給される。

出題の意図

「厚生年金保険はムズカシイ！」というイメージや印象をもつ受験生は多いようです。それはおそらく、各年金たる保険給付などにおいて、同じ要件や給付内容があるかと思えば微妙な相違点があったりと、初学者にはなかなか簡単には把握しづらい点があるからでしょう。しかし、1つ1つ拾い上げて、ていねいに学習していけば、ムズカシイと思われた箇所もそれほど数が多いわけではなく、理解することを心がけて勉強していけば、しっかりと記憶に残ることがわかってくると思います。そのためには、問題演習が不可欠です。

解答・解説

正解　E（○）

A（×）

株式会社の代表取締役および代表取締役以外の取締役は、いずれも被保険者となることがあります（法9条、昭和24.7.28保発74号）。健康保険や厚生年金保険では、保険給付の給付事由において、労災保険や雇用保険のように使用従属関係や雇用関係を必要としないので、会社等の法人の理事や代表社員など法人の代表者または業務執行者であっても、その法人から労働の対価として報酬を受けている場合には、その法人に「使用される者」として被保険者となります。

B（×）

老齢厚生年金の額は、受給権者がその権利を取得した当時（権利を取得した当時、被保険者期間の月数が240未満であったときは、在職定時改定又は退職改定により240以上となるに至った当時。以下同じ）、その者によって生計を維持していたその者の65歳未満の配偶者または所定の

子があるときは、以後、所定の期間加給年金額を加算した額とされます。したがって、受給権者がその権利を取得した当時存在しなかった配偶者等を後日有することになっても、加給年金額が加算されることはありません。問題文では、「その権利を取得した当時」という限定がなく、老齢厚生年金の受給権取得後に配偶者を有することになった場合でも、加給年金額が加算されることになってしまうので、誤りとなります（法44条1項）。

　なお、障害等級の1級または2級に該当する者に支給する障害厚生年金の額は、特に「その権利を取得した当時」と限定することなく「受給権者によって生計を維持しているその者の65歳未満の配偶者があるとき」は、加給年金額が加算されると規定されています（法50条の2,1項）。したがって、老齢厚生年金の場合とは異なり、受給権取得後に有することとなった配偶者も、加給年金額の加算対象となることがあるわけです。障害基礎年金の額の「子の加算」も同様です（国年法33条の2,1項）。

C（×）

　障害厚生年金の額については、「障害認定日の属する月後」における被保険者であった期間は、その計算の基礎としないものとされています（法51条）。なお、問題文の後半の「被保険者期間の月数が300に満たないときは300として計算する」という記述は正しい（法50条1項）。これは、厚生年金保険に加入した直後に発した傷病により障害を有するに至った場合には、障害厚生年金の額の計算の基礎となる被保険者期間が少なくて、当該年金額が低額になる場合に配慮して設けられたものです。同様の配慮から、遺族厚生年金のいわゆる短期要件に該当する場合の年金額の計算にも、この被保険者期間の300月保障が設けられていますが、同年金のいわゆる長期要件に該当する場合や、老齢厚生年金の年金額の計算には、この300月保障は設けられていません（必ずしも同様

の配慮をする必要はないからでしょう）。

D（×）

　いわゆる長期要件に該当する場合の遺族厚生年金の額は、原則として老齢厚生年金の額の規定の例により計算した額の4分の3に相当する額とされており、死亡した者の生年月日に応じた給付乗率により計算するものとされていますが、被保険者期間の300月保障は設けられていません（法60条1項）。なお、遺族厚生年金の短期要件に該当する場合や、障害厚生年金の年金額の計算には、給付乗率の生年月日による読み替えは行われません。

E（○）

　遺族基礎年金には、被保険者等の死亡当時における配偶者の年齢要件は規定されていませんが、遺族厚生年金には、被保険者等の死亡当時55歳未満の夫には支給されない旨規定されています。したがって、設問のケースでは、夫には遺族基礎年金のみが支給され、遺族厚生年金は支給されません。なお、被保険者等の死亡当時、その者によって生計を維持していた18歳に達する日以後の最初の3月31日までの間にある子または20歳未満であって障害等級に該当する障害の状態にあり、かつ、現に婚姻していない子には、遺族厚生年金と遺族基礎年金の2つの年金が支給されることになりますが、配偶者に遺族基礎年金が支給されるときは、子の遺族基礎年金はその支給が停止されることになっています。

労務管理その他の労働に関する一般常識

〔問題〕次の記述のうち、正しいものはどれか。

A 同一の使用者との間で締結された2以上の有期労働契約（契約期間の始期の到来前のものを除く。）の契約期間を通算した期間が3年を超える労働者が、当該使用者に対し、現に締結している有期労働契約の契約期間が満了する日までの間に、当該満了する日の翌日から労務が提供される期間の定めのない労働契約の締結の申込みをしたときは、使用者は当該申込みを承諾したものとみなす。

B 使用者は、事業場の労働者の過半数を代表する労働組合の意見を聴いて就業規則を変更する場合であっても、労働者と合意をすることなく、労働条件を労働者の不利益に変更することは一切できない。

C 労働組合と使用者又はその団体との間の労働条件その他に関する労働協約は、当事者が合意することによって成立するものなので、書面に作成されていない場合であっても、労働組合法第16条に定めるいわゆる規範的効力は生ずる。

D 労働者派遣法第44条第1項に規定する派遣中の労働者については、その派遣先の事業の事業場の所在地を含む地域について決定された地域別最低賃金において定める最低賃金額を、当該派遣中の労働者に適用される最低賃金額とするものとされている。

E 妊娠、出産を理由とする不利益取扱いの禁止を徹底する観点から、男女雇用機会均等法においては、妊娠中の女性労働者および出産後1年を経過しない女性労働者に対してなされた解雇は、すべて無効とするものとされている。

出題の意図

　「労務管理その他の労働に関する一般常識」は、正直にいってつかみ所のない試験科目です。対策としては、まずは主要な法律の特徴をおさえておくことです。そうはいっても法律の数が多いので、テキストを読み流しているだけでは、なかなか頭に残りませんよね。だからこそ問題演習を通して、各法律が想定する問題点の所在、その対応を理解し、記憶していくことが特に大切です。

解答・解説

正解　D

A（×）

　問題文中の「3年」を5年にすれば正しい文となります（労働契約法18条1項）。ちなみに、この規定によれば、たとえば、1年契約の場合には5回更新され6回目以降の契約に至っている場合、3年契約の場合には1回更新され2回目以降の契約に至っている場合、その契約の期間中に、労働者が無期労働契約への転換を使用者に申し込めば、使用者はそれを承諾したものとみなされ、その契約の満了の日の翌日を就労の始期とする無期労働契約が申込みの時点で成立することになります。この規定の趣旨は、有期労働契約（期間の定めのある労働契約）を反復更新して労働者を長期間継続雇用するという有期労働契約の濫用的利用を防ぎ、有期契約労働者の雇用の安定を図ることにあります。なお、有期労働契約よりも無期労働契約の方が、労働者の雇用の安定には資するということは理解しておいてください。

B（×）

　使用者は、原則として、労働者と合意することなく、就業規則を変更

することにより、労働者の**不利益**に労働契約の内容である労働条件を**変更することはできません**（労働契約法9条本文）。ただし、使用者が就業規則の変更により労働条件を変更する場合において、変更後の就業規則を**労働者に周知**させ、かつ、就業規則の変更が、労働者の受ける**不利益の程度**、労働条件の**変更の必要性**、変更後の就業規則の**内容の相当性**、**労働組合等との交渉**の状況その他の就業規則の変更に係る事情に照らして**合理的**なものであるときは、労働契約の内容である労働条件は、当該変更後の就業規則に定めるところによるものとされます（つまり、労働者と合意することなく、不利益変更ができる場合があるのです）。ただし、労働契約において、労働者および使用者が就業規則の変更によっては**変更されない労働条件**として合意していた部分については、一定の場合を除き、この限りではありません。

C（×）

労働協約は、**書面に作成**し、両当事者が**署名**し、または**記名押印**することによってその効力（規範的効力）を生ずるものとされています。なお、**規範的効力**とは、労働組合法第16条に次のように規定されています。「労働協約に定める労働条件その他の労働者の待遇に関する基準に**違反**する労働契約の部分は、**無効**とする。この場合において無効となった部分は、**基準の定めるところによる**。労働契約に定がない部分についても、同様とする。」

D（○）

設問にあるように、派遣中の労働者については、**その派遣先の事業の事業場の所在地を含む地域について決定された地域別最低賃金が適用**されます（最低賃金法13条）。なお、地域別最低賃金は、「地域における労働者の生計費及び賃金並びに通常の事業の賃金支払能力を考慮して定められなければならない」と規定されています（同法9条2項）。派遣労

働者は派遣先の事業の事業場で労働に従事し、その所在地を含む地域で生活することを考えてみてください。

E（×）

　問題文にある「すべて無効とする」の記述が誤り。妊娠中の女性労働者および出産後１年を経過しない女性労働者に対してなされた解雇については、「無効」となるという私法上の効果が条文上明記されています（男女雇用機会均等法９条４項本文）が、事業主が妊娠、出産など同条第３項に掲げられた事由を理由とする解雇でないと証明したときは、その限りではない（同条４項ただし書）とされています。なお、女性側への配慮から、いわゆる立証責任が事業主側に負わされている点に注意してください。

memo

選択式問題の解き方

講師の私も不安です!?

　本試験が近づくにつれ、受験生が特に不安になるのが選択式問題。「見たことも聞いたこともない問題が出たらどうしよう?!」。そんな不安な気持ち、講師の私にもよくわかります。

　本試験当日に、限られたわずかな時間内に『解答速報』を出さなければならないという至上命令、当日までの不安感、当日の必死の食らいつき、まあ、受験生ほどのプレッシャーではありませんが……。そんなわけで、「選択式問題」について考えていきたいと思います。

ともかく暗記ですか?

　「できるだけ多くの問題に当たって、ともかく暗記するしかないですよね……」。選択式問題の勉強方法について、答えありきでアドバイスを求めに来る受験生が多いのは毎年のこと。「多くの問題に当たること」自体は否定しませんが、問題は、その当たり方にあるといいたい。

　本試験における選択式問題は、大きく2つに分類できると思

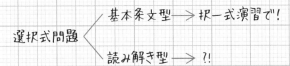

選択式問題 ⟨ 基本条文型 ⟶ 択一式演習で！
　　　　　　読み解き型 ⟶ ?!

います。1つは、基本条文からの出題で、これは取りこぼしが許されない。普段の勉強の中で、正確な理解とともに正確に記憶していなければならない類いのものです（以下「基本条文型」と呼びます）。もう1つは、どう見ても受験対策において「基本事項」とは言い難い、一般にノーマークの条文や、見慣れない判例や通達、厚生労働白書などからの出題で、暗記やヤマ当テでは対応しきれない類いのものです（以下「読み解き型」と呼びます）。それぞれについて、具体的な対策を考えてみます。

「基本条文型」は択一演習で一石二鳥！

　普段の勉強としての問題演習では、選択式問題で触れる条文の数よりも、択一式問題で触れる条文の数の方が圧倒的に多いはずです。そこで、択一式問題演習をやりながら意識的に選択式問題対策をやっていけば効率的だと思うのです。具体的には、206〜207ページの「問題演習のやり方」の要領で択一式問題を解いていくというものです。

　基本条文をベースにした正誤問題であれば、正しい問題文な

らそのキーワードを実際に書き出してみる、誤っている問題文ならその部分を抜き出してバツとしたうえで、正しい語句を書き出してみる。このように択一式問題を解く過程で書き出してみることが、すなわち選択式問題の基本条文型の対策になるわけです。

　なお、本試験においては、問題文を一読して基本条文型と判断したら、空欄に入る語句や数字をまず自分の記憶の引出しから出してきて、それを選択肢から探してください。最初に選択肢を見てしまうと、紛らわしいダミーで、逆に記憶していた知識が揺らいでしまうおそれがあります。

「読み解き型」はアプローチ法を心得て！

　問題文を一読して読み解き型と判断したら、次のページの図に掲げた点に留意して、選択肢を検討し、候補を挙げ、絞り込んでいくのがよいかと思います。

①について

　「AはBである」といったような主語と補語で構成される問題文で、そのいずれか一方が空欄で他方が記述されていれば、記述されているものとイコールの関係にあるものが空欄に入るわけですから、その観点で選択肢を絞り込んでいきます。

②について

　①と同じように、それぞれの関係性に着目して、選択肢を絞

■読み解き型のアプローチ法

① （主語）＝（補語）
② （主語）＝（目的語）＝（述語）
③ 並列（A又はB、A及びB）
④ 対比（センテンス、段落）
⑤ 文脈

り込んでいきます。

③について

「又は」や「及び」の接続詞で並列される語句は、同格、同性質のものと考えられます。一方に記述があり、他方が空欄であれば、記述されているものと同格、同性質のものを選択肢から探すことになります。

④について

問題文によっては、センテンスや段落を単位とした対比の構造を認識することで、選択肢を絞り込む視点が得られることがあります。

⑤について

論述の展開、たとえば抽象的な論述を前提にして、その具体例へと展開していることを認識することで、選択肢を絞り込む視点が得られることがあります。

読み解き型のアプローチの方法は、もちろん上記に限られるわけではありません。要は、「見たことがない」「ノーマークだった」と諦めるのではなく、どこかに取っ掛かりはないか、

ヒントはないか、と問題文をじっくり読んで、考えて考えて解くというアプローチを、是非、心得ておいてほしいのです。

選択式問題にチャレンジ！

それでは、以下に暗記中心の勉強では到底太刀打ちできないであろう「読み解き型」の例題と正解へのアプローチをいくつか示しましたので、チャレンジしてみてください。まずは自力で答えを出してから、正解へのアプローチと解答をチェックするようにしてください。その際、自分はどういう思考過程を経て、その選択肢を選んだのか、必ず思い起こしてみることが大切です。

選択式問題

健康保険法

〔問題〕次の文中の□□□の部分を選択肢の中の最も適切な語句で
埋め、完全な文章とせよ。

健康保険法第2条において、「健康保険制度については、これが
医療保険制度の基本をなすものであることにかんがみ、□A□の進
展、□B□の変化、社会経済情勢の変化等に対応し、その他の医療
保険制度及び□C□並びにこれらに密接に関連する制度と併せてそ
の在り方に関して□D□検討が加えられ、その結果に基づき、医療
保険の運営の効率化、□E□の内容及び費用の負担の適正化並びに
国民が受ける医療の質の向上を総合的に図りつつ、実施されなけれ
ばならない。」と定められている。

選択肢

①	保険料	②	社会保障制度
③	後期高齢者医療制度	④	国民健康保険制度
⑤	人口構造	⑥	緊急に
⑦	晩婚化	⑧	常に
⑨	産業構造	⑩	介護保険制度
⑪	5年に1度	⑫	3年に1度
⑬	疾病構造	⑭	高齢化
⑮	医療技術	⑯	治療
⑰	日常生活	⑱	就業構造
⑲	給付	⑳	人口の減少

正解へのアプローチ

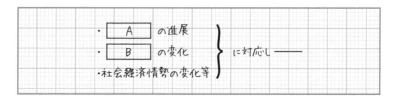

〔Aについて〕

　健康保険制度が、その「進展」に対応しなければならないものとは何か、と考えてみます。候補を挙げれば、⑦晩婚化（？）、⑭高齢化、⑮医療技術、⑳人口の減少、となります（日本の社会保障制度、特に社会保険制度を進める上で直面する問題です）。

〔Bについて〕

　健康保険制度が、その「変化」に対応しなければならないものとは何か、と考えてみます。「の変化」につながるものとして候補を挙げれば⑤人口構造、⑨産業構造、⑬疾病構造、⑱就業構造、となりますが、医療保険制度たる健康保険制度との関係で考えれば、自ずと答えは出ますね。

〔Cについて〕

　空欄Ｃは「その他の医療保険制度」と「及び」で並列され得る制度です。そしてこの2つがその後の記述で「これら」で括られて、「これら」とは別の「密接に関連する制度」という記述がさらに続きます。そこで、「これら」は医療（医療保険ではない）で括られる制度ではないかと考えて、空欄Ｃを検討することになります。

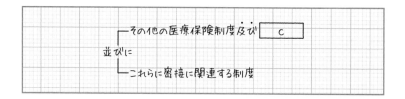

〔Dについて〕

「 A の進展」や「社会経済情勢の変化等」は、急速なものといえます（空欄Aも埋まったとして）。これに対応して検討を加えていくのですから、⑪5年に1度、⑫3年に1度、では、どんなものでしょうか。

〔Eについて〕

「及び」で並列された「 E の内容」と「費用の負担」を対比して見えてくるものは？　特に「負担」に着目して、これと対比されるべきものは？　さらに、後に続く記述「適正化」も大きなヒントになります。

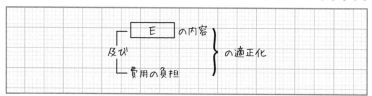

解答

A　⑭　高齢化

B　⑬　疾病構造

C　③　後期高齢者医療制度

D　⑧　常に

E　⑲　給付

（解答根拠）健保法第2条

社会保険に関する一般常識

〔問題〕次の文中の [＿＿＿] の部分を選択肢の中の適当な語句で埋め、完全な文章とせよ。

1. 社会保険労務士法第1条は、「この法律は、社会保険労務士の制度を定めて、その業務の適正を図り、もって労働及び社会保険に関する法令の円滑な実施に寄与するとともに、[A] を目的とする。」と規定している。

2. 介護保険法第1条は、「この法律は、加齢に伴って生ずる心身の変化に起因する疾病等により要介護状態となり、入浴、排せつ、食事等の介護、[B] 並びに看護及び療養上の管理その他の医療を要する者等について、これらの者が尊厳を保持し、その有する能力に応じ自立した日常生活を営むことができるよう、必要な保健医療サービス及び福祉サービスに係る給付を行うため、[C] に基づき介護保険制度を設け、その行う保険給付等に関して必要な事項を定め、もって国民の保健医療の向上及び福祉の増進を図ることを目的とする。」と規定している。

3. 介護保険法第4条第1項では、「国民は、自ら要介護状態となることを予防するため、加齢に伴って生ずる心身の変化を自覚して [D] とともに、要介護状態となった場合においても、進んでリハビリテーションその他の適切な保健医療サービス及び福祉サービスを利用することにより、その有する能力の維持向上に努めるものとする。」と規定している。

4. 高齢者医療確保法第2条第1項は、「国民は、[E] に基づき、自ら加齢に伴って生ずる心身の変化を自覚して常に健康の保持増進に努めるとともに、高齢者の医療に要する費用を公平に負担するものとする。」と規定している。

┌─ 選択肢 ───┐

① 施設サービス　　　　　　　② 自助と連帯の精神

③ 自立と公助の精神　　　　　④ 扶助と貢献の精神

⑤ 公的責任の実現と社会連帯の精神

⑥ 理学療法

⑦ 事業の健全な発達と労働者等の福祉の向上に資すること

⑧ 経済及び産業の発展と国民の利便に資すること

⑨ 経済及び産業の発展と社会福祉の増進に寄与すること

⑩ 社会保障制度の健全な発展と福祉の増進を図ること

⑪ 機能訓練

⑫ 住み慣れた地域で必要な援助を受ける

⑬ その有する能力に応じ自立した日常生活を営む

⑭ 常に健康の保持増進に努める

⑮ 要介護状態等の軽減又は悪化の防止に努める

⑯ 作業療法

⑰ 高齢者の尊厳と相互扶助の理念

⑱ 国民の相互扶助の理念

⑲ 自己管理と世代間扶養の理念

⑳ 国民の共同連帯の理念
└───┘

正解へのアプローチ

平成27年と平成29年の本試験問題から抜粋して構成しました。いずれも受験生であれば誰もが目にしたことのある基本条文からの出題ですが、空欄に入る語句をすべて正確に暗記（？）している人はまずいないでしょう。そこで、考えて解くアプローチとして、以下、説明していきましょう。

〔Aについて〕

まず、候補を４つ絞りこんでおくと、⑦事業の健全な発達と労働者等の福祉の向上に資すること、⑧経済及び産業の発展と国民の利便に資すること、⑨経済及び産業の発展と社会福祉の増進に寄与すること、⑩社会保障制度の健全な発展と福祉の増進を図ること、となります。次に問題文の分析です。「その業務」とは言うまでもなく、社会保険労務士の業務であり、その業務は「労働」に関する法令と「社会保険」に関する法令に関わるものです。その「法令の円滑な実施に寄与するとともに」という記述に着目した上で、目的とするものを考えます。そうすると、⑧と⑨では論理的にちょっと飛躍し過ぎるというか、そのつながりが不明瞭です。⑩は「労働」に関する法令とのつながりがありません。残るのは⑦です。勉強してきた（これから勉強する）上記の法令は、いずれも事業（主）と労働者を適用対象とするものであることを思い出せれば、これを正解肢として選べるはずです。

〔B・Cについて〕

まず、「入浴、排せつ、食事等の介護」、「　　Ｂ　　」並びに「看護〜その他の医療」の３つを並列して、これらを「要する者等」という構造を確認してください。つまり、　　Ｂ　　には「介護」と「医療」と並列される、言わばこれらと同レベルの語句が入るということです。候補として

は、①施設サービス、⑥理学療法、⑪機能訓練、⑯作業療法、が挙げられます。いかがでしょうか?

　　C　は、「一理念」となっている選択肢の、⑰高齢者の尊厳と相互扶助の理念、⑱国民の相互扶助の理念、⑲自己管理と世代間扶養の理念、⑳国民の共同連帯の理念、が候補として挙げられます。介護保険は、設問にある「必要な給付」を行う制度であり、それは社会保険の一環であることを思い出せれば、社会保険が寄って立つ理念として一番適切なものを選ぶことになります。

〔Dについて〕

　先に候補を挙げておくと、⑫住み慣れた地域で必要な援助を受ける、⑬その有する能力に応じ自立した日常生活を営む、⑭常に健康の保持増進に努める、⑮要介護状態等の軽減又は悪化の防止に努める、になります。　　D　は「一を予防するため」「一を自覚して」取るべき行動等を示す語句が入ることを確認してください。そうすると、まず⑫と⑬は意味的につながりませんね。そこで⑭と⑮で検討するわけですが、⑮は既に「要介護状態」になっていることが前提なので、後に続く記述と矛盾します。

〔Eについて〕

　　E　は、主語である「国民」が「一努め」「一負担する」に際して、基づくものなので、「一精神」となっている選択肢の②自助と連帯の精神、③自立と公助の精神、④扶助と貢献の精神、⑤公的責任の実現と社会連帯の精神、が挙げられます。そしてそのいずれの選択肢も「一と一の精神」となっていて、「と」を挟んで2つの語句が並んでいます。問題文の空欄の後に続く記述も、「とともに」を挟んで2つの内容が並んでいます。そこで、空欄の後に2つの内容と候補に挙げたそれぞれの選択肢を対応させてみてください。もうお気づきですね。「一常に努める」

＝「自助」、「─公平に負担する」＝「連帯」。答えは出ました。

解答

A　⑦　事業の健全な発達と労働者等の福祉の向上に資すること
B　⑪　機能訓練
C　⑳　国民の共同連帯の理念
D　⑭　常に健康の保持増進に努める
E　②　自助と連帯の精神
（解答根拠）社労士法第1条、介護保険法第1条、同法第4条第1項、
　　　　　高齢者医療確保法第2条第1項

COLUMN9　ちょっと回想―笑う講義

　私が年度を通して担当するのは、ここ10年だいたい4クラス。曜日も時間帯も異なる。面白いもので、同じ科目で同じ内容の講義をしていても、クラスによって、まったくといってよいほど反応がちがうことがある。もちろんクラスの曜日や時間帯によって来られる方の年齢層や有職者、無職の方（主婦、主夫、リタイア組など）などある程度片寄ってしまう点はあるが、その差にとどまらない反応のちがいが年度によってはある。

　あのクラスの方々は、本当によく反応してくれた。というか、よく大きな声で笑ってくれた。最前列、といっても前から2列目のほぼ中央に決まって席を取る40代と思しき会社員風の男性が、私のちょっと仕込んだネタ（もちろん法律の理解に資する正当な、でもいく分か脇道にそれた説明）に先頭を切って反応し、少しかすれたための大きな笑い声をあげる。それに釣られてか、周りの人も0.5テンポ遅れて笑い声をあげる。私は心の中で、否、思わず体をつかってガッツポーズをとってしまう。

　講義中に居眠りをする方はまずいない。60人前後のクラスである。みんな真剣な、それでいて何かを期待する目差しを私に向けてくる。スベれない。この緊張感。嫌いではない。否、結構好きかも。一介の講師と熱心な受講生たち。どこか一体感を覚えさせるものがあり、いい仕事をさせてもらっているなという、感謝の気持ちが沸いてくる。

　それにしても、このクラスの受講生の方々は群れない。講義の前や終わったあとに、にこやかに澄んだあいさつの言葉は交わすのだが、お互いにそれ以上は立ち入らない。良い意味で、自立したオトナの受講生さんたちなのである。

　合格率の高いクラスだった。さすがに合格祝賀会では、はにかみながらも打ち解けた、教室では見られなかった人なつっこそうな笑顔で、会話が弾んでいた。

エピローグ

　"プロローグ"から"入門講義"そして"問題演習"と通して読まれてこられ、初学者の方には社労士試験で出題される法律の大まかな全体像とその基本的な考え方について、ある程度ご理解いただけたと思います。また、受験経験者の方にはこれまで勉強したことの復習になっただけではなく、新たな発見もあったのではないでしょうか。

　さて、ここまで本書を読まれて、これから本格的に受験勉強を始めようとされる方に、ここでまた、あらためて試験科目名として挙がっている法律について、それぞれ第1条（目的条文）に基づいてその趣旨・目的を確認し、その全体像や制度の幹となっているところをおさらいしてもらおうと思います。これを読んでいただくことで、よりスムーズに各法律の本格的な勉強に入っていけることと思います。また、それぞれの法律を一通り勉強し終えたつどや、本試験の直前期に目を通していただければ、その法律の輪かくがより鮮明に見えてくることと思います。なお、あえて図でまとめていないのは、文章を読むことを通して、みなさんが自分の力で各法律のイメージをとらえていただきたいからです（悪しからず）。

労働基準法

趣旨・目的

　労基法は、労働契約にいわば内在する使用従属関係に起因する経済上の、また立場的な力の圧倒的なアンバランスを有する労働者と使用者の関係を、労働者を保護するという観点から規律する法律です。「契約自由の原則」による弊害から弱者たる労働者を守るために、労働契約の内容である労働条件について最低基準を設定し、これをもって強者たる使用者を規制しています。

全体像または制度の幹

①総則	均等待遇を定める３条、労働者や使用者、賃金の定義規定である９条から11条
②労働契約	労基法の強行的・直律的効力を定める13条、解雇に関する19条、20条
③賃金	賃金支払の５原則とその例外を定める24条、休業手当を定める26条

④労働時間、休憩、休日及び年次有給休暇	労働時間や休憩、休日に関する原則規定を定める32条、34条、35条、これらの例外について、その手続や上限規制を定める36条。年次有給休暇の発生要件などを定める39条。また労働時間、休憩及び休日の適用除外を定める41条
⑤年少者、妊産婦等	特別な保護を要する労働者に関する規定
⑥就業規則	労使間の権利・義務を根拠づけるものとして重要な役割を果たす就業規則の作成手続を定める89条や90条

労働安全衛生法

1条
　労働安全衛生法は、労働基準法と相まって、労働災害の防止のための危害防止基準の確立、責任体制の明確化及び自主的活動の促進の措置を講ずる等その防止に関する総合的計画的な対策を推進することにより職場における労働者の安全と健康を確保するとともに、快適な職場環境の形成を促進することを目的とする。

趣旨・目的

　安衛法は、労働災害の防止の側面を担い、労働者の安全と健康を確保し、さらに快適な職場環境の形成の促進を目的とするものです。

安衛法は多岐にわたるので、しぼって記述します。

① 企業内や建設現場での労働者等による自主的な安全衛生活動を行う仕組みとして、安全衛生管理体制を定めています。

② 人的な災害要因の除去を目指して、労働者に対して事業者による一定の安全衛生教育を定めています。

③ 事業者による労働者の健康管理という観点から、定期的な健康診断や必要に応じた面接指導が定められています。

労働者災害補償保険法

1条

　労働者災害補償保険は、業務上の事由、事業主が同一人でない二以上の事業に使用される労働者（以下「複数事業労働者」という。）の二以上の事業の業務を要因とする事由又は通勤による労働者の負傷、疾病、障害、死亡等に対して迅速かつ公正な保護をするため、必要な保険給付を行い、あわせて、業務上の事由、複数事業労働者の二以上の事業の業務を要因とする事由又は通勤により負傷し、又は疾病にかかった労働者の社会復帰の促進、当該労働者及びその遺族の援護、労働者の安全及び衛生の確保等を図り、もって労働者の福祉の増進に寄与することを目的とする。

労災保険法は、第1条の前段部分の内容である「保険給付」と、後段部分の内容であるいわゆる「社会復帰促進等事業」の2本の柱で構成されています。やはり中心となるのは「保険給付」であり、その目的は、業務災害が発生したときに民事損害賠償制度（民法415条、709条等）や労基法の災害補償制度では果たせない「迅速かつ公正な保護」を行う点にあることをしっかりおさえておきましょう。

全体像または制度の幹

1. 保険給付について

7条1項で、「業務災害に関する保険給付」「複数業務要因災害に関する保険給付」「通勤災害に関する保険給付」「二次健康診断等給付」の4つに分類されています。ここでは、「業務災害に関する保険給付」に基づいて、保険給付の内容（全体像）を整理しておきましょう。

①負傷、疾病に対して	まず医療給付として療養補償給付が行われます。指定病院等においては「療養の給付」、他では「療養の費用の支給」となります。現金給付として1日単位の補償である休業補償給付が行われます。また療養開始後1年6月を経過しても治っておらず、障害の程度が傷病等級に該当したときは、年単位の補償である傷病補償年金に切り替わります。

②障害に対して	傷病が治ゆしても一定の障害が残った場合には、その程度に応じて障害補償給付が行われます。障害等級1級から7級に該当したときは障害補償年金、8級から14級に該当したときは障害補償一時金です。さらに、障害補償年金前払一時金や障害補償年金差額一時金についても確認してください。
③傷病、障害に対して	2級以上の傷病補償年金や2級以上の障害補償年金を受けており、常時または随時介護を要する状態で、かつ介護を受けているときは、介護補償給付が行われます。
④死亡に対して	死亡した労働者の一定の遺族に、遺族補償給付が行われます。死亡した労働者に生計を維持されていた一定の遺族には遺族補償年金が支給されます。遺族補償年金を受けることができる者がいないときは、遺族補償一時金が支給されます。この支給を受けることができる遺族は、死亡した労働者に必ずしも生計を維持されていた者にかぎりません。また、葬祭に要する費用として、遺族または葬祭を行う者に葬祭料が支給されます。
⑤他の制度との調整について	業務災害にあった労働者に保険給付が行われたときは、使用者は労基法に定める災害補償の責を免れ、また保険給付として支給された金額の限度で、民法上の損害賠償責任を免れることになります（被災労働者等に対する二重の補てんや、使用者の二重の負担を避けるため）。

２．社会復帰促進等事業について

　第１条の後段部分の「社会復帰促進等事業」は、①社会復帰促進事業、②被災労働者等援護事業、③安全衛生確保等事業、の３つの事業から成るものです。なかでも保険給付の上乗せとして特別支給金の支給を行う②被災労働者等援護事業はしっかり内容をおさえておきましょう。なお、業務災害等による損失・損害の補てんを目的とする保険給付とは異なり、特別支給金は被災労働者等の〝援護金〟という趣旨で支給されるものなので、労基法の災害補償や民法上の損害賠償との調整を定める規定はありません。

雇用保険法

1条
　雇用保険は、労働者が失業した場合及び労働者について雇用の継続が困難となる事由が生じた場合に必要な給付を行うほか、労働者が自ら職業に関する教育訓練を受けた場合並びに労働者が子を養育するための休業及び所定労働時間を短縮することによる就業をした場合に必要な給付を行うことにより、労働者の生活及び雇用の安定を図るとともに、求職活動を容易にする等その就職を促進し、あわせて、労働者の職業の安定に資するため、失業の予防、雇用状態の是正及び雇用機会の増大、労働者の能力の開発及び向上その他労働者の福祉の増進を図ることを目的とする。

雇用保険法は、第1条の前段部分の内容である「失業等給付・育児休業等給付」と、後段部分の内容であるいわゆる「二事業」の2本の柱で構成されています。やはり中心となるのは「失業等給付・育児休業等給付」であり、その目的は条文にあるように労働者の職業生活において生じ得る４つの場合にそれぞれ必要な給付を行うことで、その「生活及び雇用の安定」を図ることにある点をしっかりおさえておきましょう。

全体像または制度の幹

1．失業等給付・育児休業等給付について

４つの場合に対応した給付は次の通りです。

① 「労働者が失業した場合」に対しては、求職者給付と就職促進給付が行われます。

② 「労働者について雇用の継続が困難となる事由が生じた場合」に対しては、雇用継続給付が行われます。

③ 「労働者が自ら教育訓練を受けた場合」に対しては、教育訓練給付が行われます。

これらの給付の総称が「失業等給付」ということになります。

④ 「労働者が子を養育するための休業及び所定労働時間を短縮することによる就業をした場合」に対しては、育児休業等給付が行われます。

| ①労働者が失業した場合 | まずは求職者給付。失業期間中の生活保障を目的とするもので、失業等給付のなかでも要となるものです。その名の通り求職をしている者に対する給付なので、これを受けるためには「失業の認定」がなされることが大前提、離職日の被保険者の種別に応じて、いわば失業の態様にふさわしい給付形態でそれぞれ規定されています。具体的には次の通り。 |

一般被保険者	基本手当・傷病手当・技能習得手当・寄宿手当
高年齢被保険者	高年齢求職者給付金
短期雇用特例被保険者	特例一時金
日雇労働被保険者	日雇労働求職者給付金

次に就職促進給付。「求職者給付を受け切ってから」ではなく、できるだけ早く就職してもらうための給付です。(ⅰ)就業促進手当、(ⅱ)移転費、(ⅲ)求職活動支援費、の３つがあります。さらに(ⅰ)については常用型の安定した就職については再就職手当と賃金が下がった場合の一時的なフォローとしての就業促進定着手当が、身体障害を有する者などのいわゆる就職困難者の常用型の就職については常用就職支度手当が、それぞれ規定されています。

②雇用の継続が困難となる事由が生じた場合	２つあります。一般的に60歳定年を境に同じ会社で雇用継続されても他の会社に再就職しても、賃金は相当下がります。そこで、賃金が下がっても老齢年金の支給開始年齢たる65歳まで働く気持ちになってもらうために支給するのが高年齢雇用継続給付。原則として、同じ会社にとどまって受けるのが高年齢雇用継続基本給付金、他の会社に移ってもらうのが高年齢再就職給付金です。 介護のために退職してしまうのではなく、介護休業を取得して職場復帰してもらえるように、介護休業を取得しやすくするために支給するのが、介護休業給付（介護休業給付金）です。
③教育訓練を受けた場合	今の仕事が続けられるように、または早く仕事に就けるように、自ら就業に関する教育訓練を受ける者に対して、その雇用の安定と就職の促進を図るために支給するのが、教育訓練給付金です。社会保険労務士の資格取得講座などの一般的教育訓練を対象とするものと、ITスキルなどキャリアアップ効果の高い講座などの特定一般教育訓練を対象とするもの、そして専門学校での介護福祉士の資格取得講座のような長期にわたる専門的・実践的教育訓練を対象とするものがあります。なお、専門・実践的教育訓練は長期にわたるためその間の生活費を支援するために、教育訓練支援給付金が支給されることもあります。

④子を養育する ための休業及 び所定労働時 間を短縮する ことによる就 業をした場合	育児のために退職してしまうのではなく、育児休業 を取得して職場復帰できるように、あるいは時短勤 務で子の養育ができるようにするために支給するの が、育児休業等給付（育児休業給付金、出生時育児 休業給付金、出生後休業支援給付、育児時短就業給 付）です。

2.二事業について

雇用安定事業は、失業を予防したり、減らしたりするために、雇用の維持・拡大・創出に努力する事業主を支援する事業で、その代表が、雇用調整助成金の支給です。また、能力開発事業は、教育訓練を行う事業主を助成したり、公共職業訓練を行ったりするものです。

労働保険徴収法

1条
　労働保険徴収法は、労働保険の事業の効率的な運営を図るため、労働保険の保険関係の成立及び消滅、労働保険料の納付の手続、労働保険事務組合等に関し必要な事項を定めるものとする。

趣旨・目的

徴収法の目的は、原則として、労災保険と雇用保険の、保険料の申告・納付をはじめとする諸手続をまとめて（一元的に）

処理することで、事務処理の効率化を図ることです。

1.6つの労働保険料

まずは6つの労働保険料について。労働保険料の手続は事業単位で行われます。

① その事業にたずさわる労働者の賃金総額に基いて算定される一般保険料

特別加入保険料算定基礎額に基いて算定される

② 第1種特別加入保険料

③ 第2種特別加入保険料

④ 第3種特別加入保険料

⑤ 日雇労働被保険者について、その日の賃金額に基いて算定される印紙保険料

⑥ 時効にかかった雇用保険料について納付される特例納付保険料

①～④は概算保険料→確定保険料という流れで申告・納付されます。⑤は、賃金を支払うつど日雇労働被保険者手帳に所定の雇用保険印紙を貼付し消印することによって納付します。⑥は、時効にかかった雇用保険料について政府による勧奨を受けて事業主が支払いを申し出て、納入告知書をもって納付するものです。

2. 労災保険のメリット制など

労災保険料の事業主間の負担の公平を図り、業務災害防止努力を促進するメリット制や、中小事業主の労働保険事務の負担の軽減を図る労働保険事務組合制度も大切です。

健康保険法

> 1条
> 　健康保険法は、労働者又はその被扶養者の業務災害（労働者災害補償保険法第7条第1項第1号に規定する業務災害をいう。）以外の疾病、負傷若しくは死亡又は出産に関して保険給付を行い、もって国民の生活の安定と福祉の向上に寄与することを目的とする。

趣旨・目的

健康保険は、労働者やその被扶養者の業務災害以外の傷病や死亡、出産に関して保険給付を行うことで、医療などにかかる費用による経済的負担を軽減し、また傷病や出産によって収入の全部又は一部を失った者にその収入の一部を補完して、その生活の安定に寄与することを目的としています。

全体像または制度の幹

保険給付の全体像をおさえましょう。保険給付は18あります。記述の順番にも注意してください。

被保険者が、原則として保険医療機関等で医療を受けたとき

の①療養の給付、②入院時食事療養費、③特定長期入院被保険者に限っての入院時生活療養費、④一定の保険外診療（評価療養、選定療養、患者申出療養）と合わせて①～③を受けたときの保険外併用療養費、⑤原則として保険医療機関等以外で医療を受けたときの療養費、⑥被扶養者が①～⑤のいずれかを受けたときの家族療養費、⑦被保険者が指定訪問看護事業者で訪問看護を受けたときの訪問看護療養費、⑧被扶養者が⑦を受けたときの家族訪問看護療養費、⑨上記①④⑤～⑧の保険給付を受けた際の自己負担額（またはその総額）が一定額を超えたときにその超えた額が還付される高額療養費、⑩健康保険の保険給付を受けた際の自己負担額と介護保険の保険給付を受けた際の自己負担額を合わせた額が一定額を超えたときにその超えた額が還付される高額介護合算療養費、⑪移送費、⑫被扶養者についての家族移送費、⑬療養休業期間中の生活保障としての傷病手当金、⑭出産育児一時金、⑮産前産後休業期間中の生活保障としての出産手当金、⑯被扶養者の出産に関して家族出産育児一時金、⑰埋葬料、⑱被扶養者についての家族埋葬料、以上の18です。

国民年金法

1条
　国民年金制度は、日本国憲法第25条第2項に規定する理念に基づき、老齢、障害又は死亡によって国民生活の安定がそこなわれることを国民の共同連帯によって防止し、もって健全な国民生活の維持及び向上に寄与することを目的とする。
2条
　国民年金は、前条の目的を達成するため、国民の老齢、障害又は死亡に関して必要な給付を行うものとする。

趣旨・目的

　国民年金は、老齢・障害または死亡によって国民生活の安定がそこなわれることのないように、全国民共通の基礎年金を支給して、衣食住を中心とした生活の基礎的ニーズを保障しようとするものです。

全体像または制度の幹

1. 被保険者について

　本人の意思如何を問わず所定の要件を満たせば加入が義務づけられている強制加入被保険者（第1号、第2号、第3号の種別あり）と、強制加入の要件からははずれたものの、老齢基礎年金の受給資格期間を満たすため、あるいは老齢基礎年金の額を増やすために任意に加入する任意加入被保険者（原則3つと

特例1つの都合4種類の任意加入被保険者）がおかれています。

2. 年金について

　老齢、障害、死亡といった給付事由に所定の支給要件が設定され、それぞれ老齢基礎年金、障害基礎年金、遺族基礎年金として支給が行われます。支給額は、780,900円×改定率を各年金の共通の額として、老齢基礎年金は保険料納付済期間に応じて、障害基礎年金は障害の程度に応じて（さらに生計を維持する一定の子の数に応じて）、遺族基礎年金は受給権者となる子の数に応じて、それぞれの額が算定されます。

厚生年金保険法

1条
　厚生年金保険法は、労働者の老齢、障害又は死亡について保険給付を行い、労働者及びその遺族の生活の安定と福祉の向上に寄与することを目的とする。

趣旨・目的

　厚生年金保険は、労働力を提供し、その対価として得た報酬に基づいて生活している労働者の老齢、障害または死亡について、原則として国民年金から支給される定額の基礎年金の上乗せとして、いわゆる報酬比例の年金を支給することで、本人やその遺族の生活の安定に寄与することを目的とするものです。

1. 被保険者について

　原則として、適用事業所に使用される70歳未満の者は、本人の意思如何を問わず当然被保険者とされます。また、適用事業所以外の事業所に使用される70歳未満の者や、適用事業所であるか否かを問わず使用されている70歳以上の者で老齢年金の受給権を有しない者は、事業主の同意を得ることなどを要件に任意加入することができます。

2. 保険給付について

　国民年金と同様に、老齢、障害、死亡といった給付事由に所定の支給要件が設定され、それぞれ老齢厚生年金、障害厚生年金、遺族厚生年金として支給されます。支給額は報酬比例ということで次の算式によって算定されます。

（平均標準報酬額）×5.481/1000×（被保険者期間の月数）

　これにより算定された額が各年金の共通の報酬比例の額とされます。そして老齢厚生年金であればこれに配偶者や子を対象とした加給年金が加算されたり、障害厚生年金であれば障害の程度に応じて額が増えたり、配偶者を対象とした加給年金額が加算されたり、遺族厚生年金であればこの報酬比例の額の4分の3を基本額とし、受給権者が一定の寡婦であるときは加算が行われたりします。

エピローグのおまけ

おしまいに、初学者の方のために、プチアドバイスをしておきましょう。

1. 学習手段は？

①予備校の通学講座もしくは通信講座を利用するのか、または②市販の書籍や定期刊行の受験雑誌などを利用して独学でやっていくのか。①では、各予備校がそれぞれ独自のカリキュラムを用意し、最新の法改正情報や定期テストなども組み込んで、試験対策上必要なことはほぼ提供してくれます。初学者や意志の弱さを自覚している人にとっては、安心して効率的な勉強ができます。ただ、コストはそれなりに覚悟しなければなりません。②は、①に比べてコストはかかりませんが、学習を進めていくに際して何よりも強い意志と主体性が求められます。法改正情報は各予備校で行っているオプション講座に参加してカバーしたり、定期テストに代わるものとして公開模試をいくつか受けてみることが必要となります。

①と②のどちらを選ぶかは、自分の性格や学習環境をしっかり見極めてからということになります。

2. 勉強時間は？

普段、1日の中でどのように時間を過ごしているかを振り返

り、勉強に当てられる時間をピックアップしてみてください。勉強時間は、なにも1時間単位である必要はありません。10分単位でもよいのです。細切れの時間は作業的な勉強（暗記や簡単な一問一答式の問題演習）に当てます。机に向かえる1時間単位の勉強時間は、じっくりテキストを読み込んだり問題演習を行うのに当てます。1日にトータルで2〜3時間確保できるように工夫してみてください。

おわりに

　あらためて、〝勉強していく際の心がまえ〟として「やみくもに暗記に走るのではなく、内容の理解を心がけること。そのためには、勉強の対象である各法律（各制度）に対する興味・関心を持続させること、常に自分の身に引きつけて勉強していくことが何よりも大切だということ」を、くり返しいっておきます。

　本書を読んでくださった皆さんが、社労士の試験科目となっている法律への興味・関心を高め、より深く、そしてより楽しく勉強が進められることを祈って、本書の（最後の？）エピローグとさせていただきます。

　最後までお読みいただき、ありがとうございました。

岡根　一雄

memo

［著者紹介］
岡根　一雄（おかね　かずお）
TAC社会保険労務士講座の専任講師。
20年以上の講師歴で、毎年多くの合格者を送り出している。社会保険労務士のほか、行政書士、メンタルヘルス・マネジメント®検定試験Ⅱ種（ラインケアコース）、宅地建物取引士試験にも合格している。著書に『社会保険労務士に面白いほど合格する本』(中経出版)、『無敵の社労士』(TAC出版)、『社労士Ｖ』(日本法令) などがある。
【略歴】
1961年　東京生まれ
1986年　慶応義塾大学法学部法律学科卒業
1992年　社会保険労務士試験合格
1993年　TAC社会保険労務士講座専任講師となり、現在に至る。

［参考文献］
「労働法の基礎構造」西谷敏（法律文化社、2016）
「労働法〔第3版〕」西谷敏（日本評論社、2020）
「労働法〔第10版〕」水町勇一郎（有斐閣、2024）
「平成24年版　厚生労働白書」厚生労働省編（日経印刷、2012）
「ちょっと気になる社会保障」権丈善一（勁草書房、2016）
「はじめての社会保障〔第21版〕」椋野美智子・田中耕太郎（有斐閣アルマ、2024）
「プレップ労働法〔第7版〕」森戸英幸（弘文堂、2023）
「労働法トークライブ」森戸英幸・小西康之（有斐閣、2020）
「ベーシック労働法〔第9版〕」浜村彰・唐津博・青野覚・奥田香子（有斐閣アルマ、2023）
「社会保障法〔初版〕」笠木映里・嵩さやか・中野妙子・渡邊絹子（有斐閣、2018）
「プレップ社会保障法」島村暁代（弘文堂、2021）

2025年度版　岡根式　社労士試験はじめて講義

（2013年10月19日　初版　第1刷発行）

2024年8月23日　初 版　第1刷発行

著　　者	岡　根　一　雄	
発　行　者	多　田　敏　男	
発　行　所	TAC株式会社　出版事業部	
	（TAC出版）	

〒101-8383
東京都千代田区神田三崎町3-2-18
電話 03(5276)9492(営業)
FAX 03(5276)9674
https://shuppan.tac-school.co.jp

印　　刷　　株式会社　ワ　　コ　　ー
製　　本　　東 京 美 術 紙 工 協 業 組 合

© Kazuo Okane　2024　　　Printed in Japan　　　ISBN 978-4-300-11359-2
N.D.C. 364

社会保険労務士講座

2025年合格目標 開講コース

学習レベル・スタート時期にあわせて選べます！

初学者対象	**順次開講中** まずは年金から着実に学習スタート！ **総合本科生Basic（ベーシック）**	初めて学ぶ方も無理なく合格レベルに到達できるコース。Basic講義で年金科目の基礎を理解した後は、労働基準法から効率的に基礎力＆答案作成力を身につけます。
初学者対象	**順次開講中** Basic講義つきのプレミアムコース！ **総合本科生Basic（ベーシック）+Plus（プラス）**	大好評のプレミアムコース「総合本科生Plus」に、Basic講義がついたコースです。Basic講義から直前期のオプション講義まで豊富な内容で合格へ導きます。
初学者・受験経験者対象	**2024年9月より順次開講** 基礎知識から答案作成力まで一貫指導！ **総合本科生**	長年の指導ノウハウを凝縮した、TAC社労士講座のスタンダードコースです。【基本講義 → 実力テスト → 本試験レベルの答練】と、効率よく学習を進めていきます。
初学者・受験経験者対象	**2024年9月より順次開講** 充実度プラスのプレミアムコース！ **総合本科生Plus（プラス）**	「総合本科生」を更に充実させたプレミアムコースです。「総合本科生」のカリキュラムを詳細に補足する講義を加え、充実のオプション講義で万全な学習態勢です。
受験経験者対象	**2024年10月より順次開講** 今まで身につけた知識を更にレベルアップ！ **上級本科生**	受験経験者（学習経験者）専用に独自開発したコース。受験経験者専用のテキストを用いた講義と問題演習を繰り返すことによって、強固な基礎力に加え応用力を身につけていきます。
受験経験者対象	**2024年11月より順次開講** インプット期から十分な演習量を実現！ **上級演習本科生**	コース専用に編集されたハイレベルな演習問題をインプット期から取り入れ、解説講義を行いながら知識を確認していくことで、受験経験者の得点力を更に引き上げていきます。
初学者・受験経験者対象	**2024年10月開講** 合格に必要な知識を効率よくWebで学習！ **スマートWeb（ウェブ）本科生**	「スマートWeb」ならではの効率良いスマートな学習が可能なコースです。テキストを持ち歩かなくても、隙間時間にスマホ一つで楽しく学習できます。

※上記コースは諸般の事情により、開講月が変更となる場合がございます。

詳細はTAC HPまたは2025年合格目標パンフレットにてご確認ください。

……… ライフスタイルに合わせて選べる3つの学習メディア ………

【通 学】 教室講座・ビデオブース講座　　　　【通 信】 Web通信講座

※「総合本科生」のみDVD通信講座もご用意しております。
※「スマートWeb本科生」はWeb通信講座のみの取り扱いとなります。

TAC出版 書籍のご案内

TAC出版では、資格の学校TAC各講座の定評ある執筆陣による資格試験の参考書をはじめ、
資格取得者の開業法や仕事術、実務書、ビジネス書、一般書などを発行しています！

TAC出版の書籍

*一部書籍は、早稲田経営出版のブランドにて刊行しております。

資格・検定試験の受験対策書籍

- ❂日商簿記検定
- ❂建設業経理士
- ❂全経簿記上級
- ❂税理士
- ❂公認会計士
- ❂社会保険労務士
- ❂中小企業診断士
- ❂証券アナリスト

- ❂ファイナンシャルプランナー(FP)
- ❂証券外務員
- ❂貸金業務取扱主任者
- ❂不動産鑑定士
- ❂宅地建物取引士
- ❂賃貸不動産経営管理士
- ❂マンション管理士
- ❂管理業務主任者

- ❂司法書士
- ❂行政書士
- ❂司法試験
- ❂弁理士
- ❂公務員試験(大卒程度・高卒者)
- ❂情報処理試験
- ❂介護福祉士
- ❂ケアマネジャー
- ❂電験三種　ほか

実務書・ビジネス書

- ❂会計実務、税法、税務、経理
- ❂総務、労務、人事
- ❂ビジネススキル、マナー、就職、自己啓発
- ❂資格取得者の開業法、仕事術、営業術

一般書・エンタメ書

- ❂ファッション
- ❂エッセイ、レシピ
- ❂スポーツ
- ❂旅行ガイド (おとな旅プレミアム/旅コン)

2025年度版 社労士試験対策書籍のご案内

TAC出版では、独学用、およびスクール学習の副教材として、各種対策書籍を取り揃えています。
学習の各段階に対応していますので、あなたのステップに応じて、合格に向けてご活用ください!

(刊行内容、発売月、表紙は変更になることがあります。)

みんなが欲しかった! シリーズ

わかりやすさ、学習しやすさに徹底的にこだわった、TAC出版イチオシのシリーズ。
大人気の「社労士の教科書」をはじめ、合格に必要な書籍を網羅的に取り揃えています。

基礎学習

『みんなが欲しかった!
社労士合格へのはじめの一歩』
A5判、8月　貫場 恵子 著
- 初学者のための超入門テキスト!
- 概要をしっかりつかむことができる入門講義で、学習効率ぐーんとアップ!
- フルカラーの巻頭漫画とスタートアップ講座は必見!

『みんなが欲しかった!
社労士の教科書』
A5判、10月
- 資格の学校TACが独学者・初学者専用に開発! フルカラーで圧倒的にわかりやすいテキストです。
- 2冊に分解OK! セパレートBOOK形式。
- 便利な赤シートつき!

『みんなが欲しかった!
社労士の問題集』
A5判、10月
- この1冊でイッキに合格レベルに! 本試験形式の択一式&選択式の過去問、予想問を必要な分だけ収載。
- 「社労士の教科書」に完全準拠。

実力アップ

『みんなが欲しかった!
社労士合格のツボ 選択対策』
B6判、11月
- 基本事項のマスターにも最適! 本試験のツボをおさえた選択式問題厳選333問!!
- 赤シートつきでパパッと対策可能!

『みんなが欲しかった!
社労士合格のツボ 択一対策』
B6判、11月
- 択一の得点アップに効く1冊! 本試験のツボをおさえた一問一答問題厳選1600問!! 基本と応用の2step式で、効率よく学習できる!

『みんなが欲しかった!
社労士全科目横断総まとめ』
B6判、12月
- 各科目間の共通・類似事項をこの1冊で整理!
- 赤シート対応で、まとめて覚えられるから効率的!

実践演習

『みんなが欲しかった! 社労士の
年度別過去問題集　5年分』
A5判、12月
- 年度別にまとめられた5年分の過去問で知識を総仕上げ!
- 問題、解説冊子は取り外しOKのセパレートタイプ!

『みんなが欲しかった!
社労士の直前予想模試』
B5判、4月
- みんなが欲しかったシリーズの総仕上げ模試!
- 基本事項を中心とした模試で知識を一気に仕上げます!

書籍の正誤に関するご確認とお問合せについて

書籍の記載内容に誤りではないかと思われる箇所がございましたら、以下の手順にてご確認とお問合せをしてくださいますよう、お願い申し上げます。

なお、正誤のお問合せ以外の書籍内容に関する解説および受験指導などは、一切行っておりません。
そのようなお問合せにつきましては、お答えいたしかねますので、あらかじめご了承ください。

1 「Cyber Book Store」にて正誤表を確認する

TAC出版書籍販売サイト「Cyber Book Store」の
トップページ内「正誤表」コーナーにて、正誤をご確認ください。

CYBER TAC出版書籍販売サイト
BOOK STORE

URL：https://bookstore.tac-school.co.jp/

2 1の正誤表がない、あるいは正誤表に該当箇所の記載がない
⇒下記①、②のどちらかの方法で文書にて問合せをする

★ご注意ください★

お電話でのお問合せは、お受けいたしません。

①、②のどちらの方法でも、お問合せの際には、「お名前」とともに、
「対象の書籍名（○級・第○回対策も含む）およびその版数（第○版・○○年度版など）」
「お問合せ該当箇所の頁数と行数」
「誤りと思われる記載」
「正しいとお考えになる記載とその根拠」
を明記してください。

なお、回答までに1週間前後を要する場合もございます。あらかじめご了承ください。

① ウェブページ「Cyber Book Store」内の「お問合せフォーム」より問合せをする

【お問合せフォームアドレス】

https://bookstore.tac-school.co.jp/inquiry/

② メールにより問合せをする

【メール宛先　TAC出版】

syuppan-h@tac-school.co.jp

※土日祝日はお問合せ対応をおこなっておりません。
※正誤のお問合せ対応は、該当書籍の改訂版刊行月末日までといたします。

乱丁・落丁による交換は、該当書籍の改訂版刊行月末日までといたします。なお、書籍の在庫状況等により、お受けできない場合もございます。

また、各種本試験の実施の延期、中止を理由とした本書の返品はお受けいたしません。返金もいたしかねますので、あらかじめご了承くださいますようお願い申し上げます。

（2022年7月現在）